Kurt Vonnegut

MAN WITHOUT A COUNTRY

☑ **S0-ARV-846**

Курт Воннегут

ЧЕЛОВЕК
БЕЗ СТРАНЫ,
или
Америка
разбушевалась

Екатеринбург
УЛЬТРА.КУЛЬТУРА

УДК 821.111(73)-3
ББК 84(7Сое)-4
В73

Kurt Vonnegut "God Bless You, Dr. Kevorkian"
© 1999 by Kurt Vonnegut
Kurt Vonnegut "Man Without a Country"
© 2005 by Kurt Vonnegut

Перевод с английского Татьяны Рожковой

This edition is published by arrangement with
Seven Stories Press

Воннегут К.

В73   Человек без страны, или Америка разБУШевалась / Пер. с англ. Т. Рожковой. — Екатеринбург: Ультра.Культура, 2007 — 240 с.

Агентство CIP РГБ

ISBN 978-5-9681-0114-3

Курт Воннегут по праву принадлежит к великим мастерам американской литературы XX века, писателям, без которых сам термин «современная американская литература» потерял бы смысл. Он родился в Индианаполисе, штат Индиана, сейчас проживает в Нью-Йорке. Остроумные и парадоксальные мемуары «Человек без страны», на написание которых Воннегута вдохновило сотрудничество с авангардным художником Джо Петро Третьим, заставят читателя позавидовать энергии и жизнерадостности 84-летнего писателя.

Что есть Смерть: качественно иное состояние? Или место? А может быть, она — не завершение всего, а уникальная возможность изменения? В произведении «Храни Вас Бог, Доктор Кеворкян», построенном в форме эксцентричных бесед с сэром Исааком Ньютоном, Адольфом Гитлером, Вильямом Шекспиром и другими властителями умов, Воннегут путешествует по туннелю в Рай в роли радиожурналиста, превращая смерть в приключение, полное неподражаемых, свойственных ему одному фантазии и юмора.

УДК 821.111(73)-3
ББК 84(7Сое)-4

ISBN 978-5-9681-0114-3
ISBN 978-985-16-2041-4

Человек без страны, или Америка разБУШевалась

THERE IS NO REASON
GOOD
CAN'T TRIUMPH
OVER EVIL,
IF ONLY ANGELS
WILL
GET ORGANIZED
ALONG THE
LINES
OF THE MAFIA.

*Если ангельское небесное воинство
будет организовано по принципу мафии,
не останется причин, по которым добро
не сможет восторжествовать над злом,
ибо победа есть вопрос организации[1].*

[1] Цитата из произведения Курта Воннегута «Сирены титана». — *Здесь и далее, кроме особо отмеченных случаев, примеч. пер.*

СПИСОК ИЛЛЮСТРАЦИЙ

OH, A LION HUNTER
IN THE JUNGLE DARK,
AND A SLEEPING DRUNKARD
UP IN CENTRAL PARK,
AND A CHINESE DENTIST
AND A BRITISH QUEEN
ALL FIT TOGETHER
IN THE SAME MACHINE.
NICE, NICE,
SUCH VERY DIFFERENT
PEOPLE IN THE SAME
DEVICE!

— BOKONON

И пьянчужки в парке,
И лорды, и кухарки,
Джефферсоновский шофер
И китайский зубодер,
Дети, женщины, мужчины –
Винтики одной машины.
Все живем мы на Земле,
Варимся в одном котле.
Хорошо, хорошо,
Это очень хорошо!

Боконон[2]

---

[2] Персонаж книги Воннегута «Колыбель для кошки», осново-положник религии боконизма, последователи которой верят, что все человечество разбито на группы (карассы), которые неосознанно выполняют определенный замысел Бога.

Глава 1

В семье я был младшим ребенком и, как и полагается самому младшему члену любой семьи,
порядочным шутником, так как шутка — это
единственный способ вклиниться в разговоры
взрослых. Сестра была старше меня на пять
лет, брат — на девять, а оба родителя страсть
как любили поболтать. Так что в детстве, когда
семейство собиралось за обеденным столом,
мне оставалось лишь смотреть на них скучаю-
щим взглядом. Все они почему-то отказывались
слушать мою наивную болтовню о том, что при-
ключилось со мной за день. Им хотелось поговорить о действительно важных и серьезных
вещах, происходящих в школе, колледже или
на работе. Хоть как-то поучаствовать в их раз-
говоре я мог, лишь ляпнув что-нибудь смешное.
Думаю, что в самый первый раз это получилось
у меня чисто случайно — я просто выдал какой-
то каламбур или что-то в этом роде, и беседа
тут же прервалась. Затем, исследуя этот вопрос, я пришел к выводу, что при помощи шутки можно влезть в любой взрослый разговор.

Рос я в то время, когда комический жанр
в этой стране была на высоте: в эпоху Великой
депрессии. На радио выступали совершенно

неподражаемые комики. И не то чтобы намеренно, но я у них учился. Всю свою юность каждый вечер я как минимум час просиживал, слушая их миниатюры и юмористические рассказы, и очень заинтересовался тем, что же такое шутка и как она работает.

Когда я шучу, я стараюсь делать это так, чтобы никого не оскорбить. Не думаю, что среди всего, что я когда-либо сказал в шутку, хоть что-то было сказано в непростительно грубой форме. Не думаю также, что своими шутками я кого-то поставил в неловкое или затруднительное положение. Единственным средством шоковой терапии, которым я время от времени пользуюсь, являются непристойные слова. Над многими вещами вообще не стоит смеяться. Не могу даже представить себе юмористическое или сатирическое произведение, например, об Аушвице. Я также не вижу ничего смешного в смерти Джона Ф. Кеннеди или Мартина Лютера Кинга. В противном случае просто не осталось бы таких вещей, о которых мне не хотелось бы думать потому, что я ничего не могу с ними поделать. Стихийные бедствия и природные катаклизмы в высшей степени занимательны, как продемонстрировал Вальтер. И знаете, землетрясение в Лиссабоне было просто оборжаться какое смешное.

Своими глазами я видел разрушение города Дрездена. Я видел его до того и после, выбравшись из подвала после очередного авианалета. Единственной реакцией на увиденное мною был смех. Одному Богу известно почему. По всей видимости, душе просто нужна была разрядка.

Что угодно может стать поводом для смеха, и я полагаю, даже жертвы Аушвица могли смеяться жутким смехом.

Юмор — это почти физиологическая реакция на страх. Фрейд говорил, что юмор — ответная реакция на фрустрацию. Одна из нескольких возможных. Когда собака, говорил он, не может выйти за ворота, она будет скрестись, или начнет рыть подкоп, или совершать «бессмысленные» действия, например рычать и лаять, или что угодно еще, чтобы как-то справиться с фрустрацией, удивлением или страхом.

Значительная часть смеха вызвана страхом. Много лет назад мне довелось работать над юмористическим сериалом на телевидении. И нам было необходимо найти связующее звено, основную тему, красной нитью проходящую через все серии. Ею стала тема смерти. Смерть упоминалась в каждой серии и была тем ингредиентом, который делал смех глубже. А наши зрители даже не подозревали, каким образом мы заставляли их умирать со смеху.

Это поверхностный уровень смеха. Боб Хоуп, например, по сути, не был юмористом.

Он был комиком, отпускавшим весьма плоские шутки, и никогда не касался вопросов, действительно волновавших умы людей. Зато, слушая Лореля и Харди, я мог запросто надорвать себе живот. Непостижимым образом в том, о чем они говорили, прослеживалась ужасная трагедия. Эти двое — слишком хороши, чтобы выжить в этом мире, поэтому они находятся в постоянной опасности. Убить их проще простого.

*

Даже самые простые шутки базируются на еле заметных приступах страха, как, например, вопрос: «Что это еще за белая субстанция в птичьих испражнениях?» Так называемые школьные «ботаники» моментально впадают от таких вопросов в ступор. Они боятся ляпнуть какую-нибудь глупость. Но как только «ботаник» слышит ответ: «Белая субстанция в птичьих испражнениях — это тоже птичьи испражнения», — он или она разражается смехом, который рассеивает страх. Оказывается, это не было проверкой его или ее интеллекта.

«Почему пожарные носят красные подтяжки?» Или: «Почему Джорджа Вашингтона похоронили на склоне холма?» И так далее и так далее.

Несомненно, существует и такое явление, как шутки, над которыми не хочется смеяться, или юмор повешенных, как называл их Фрейд. В жизни бывают ситуации столь безнадежные, что облегчение кажется чем-то невероятным.

Когда во время бомбежки в Дрездене мы сидели в подвале, служившем нам бомбоубежищем, обхватив руками головы на тот случай, если потолок начнет обваливаться, один из солдат вдруг произнес, словно был не солдатом, а герцогиней из дворца: «Интересно, каково сейчас приходится простым людям?» Никто не засмеялся, но все были рады, что он это сказал. По крайней мере, мы всё еще были живы, и он это подтвердил!

I WANTED ALL
THINGS TO SEEM TO
MAKE SOME SENSE,
SO WE COULD ALL BE
HAPPY, YES, INSTEAD
OF TENSE. AND I
MADE UP LIES, SO
THEY ALL FIT NICE,
AND I MADE THIS
SAD WORLD A
PARADISE.

Хотелось мне во все
Какой то смысл вложить,
Чтоб нам не ведать страха
И тихо-мирно жить,
И я придумал ложь –
Лучше не найдешь! –
Что этот грустный край –
Сущий рай![3]

---

[3] Стихотворение из книги «Колыбель для кошки» (*перевод Р. Райт-Ковалевой*).

Глава 2

Знаете ли вы, кого называют тупой мордой? Во времена, когда я учился в Шотриджской средней школе в Индианаполисе, а было это шестьдесят пять лет назад, хамской мордой называли того, кто прикреплял к заднице вставную челюсть и откусывал кнопки от кожаной обивки на задних сиденьях такси. (А нюхачами называли парней, которые обнюхивали сиденья девичьих велосипедов.)

Лично я назвал бы тупицей любого, кто не читал таких выдающихся произведений классиков американской литературы, как рассказ Амброза Бирса «Случай на мосту через Совиный ручей». Не следует думать, что это сугубо политическое произведение. Это безупречный образец американского гения, как, например, пьеса «Искушенная леди» Дюка Эллингтона[4] или печь Франклина[5].

Я назвал бы тупицей любого, кто не читал «Демократии в Америке» Алексиса де

---

[4] Великий джазовый музыкант (1899—1974).
[5] Литая чугунная печь типа камина, которая была сконструирована Бенджамином Франклином таким образом, что потери тепла в трубе значительно сокращались.

Токвиля. Лучшей книги, демонстрирующей сильные и слабые стороны, присущие нашей форме правления, просто не найти.

Процитирую лишь одну мысль, чтобы вы могли уловить дух этой книги. Ее автор сказал, — а сказано это было сто шестьдесят девять лет назад, — что нет другой страны, где бы любовь к деньгам оказывала более сильное воздействие на привязанности людей. Неплохо, правда?

Франко-алжирский писатель Альбер Камю, получивший Нобелевскую премию по литературе в 1957 году, писал: «Нет более серьезной философской проблемы, чем суицид».

Итак, это были шутки от литературы. Кстати, Камю погиб в автомобильной аварии. Годы его жизни? 1913—1960 годы.

Знаете ли вы, что все великие произведения — «Моби Дик», «Приключения Гекльберри Финна», «Прощай, оружие», «Алая буква», «Алый знак доблести», «Илиада», «Одиссея», «Преступление и наказание», «Библия» и «Атака легкой кавалерии», — все они о том, как тошно быть человеком? (И разве не легче становится от того, что хоть кто-то догадался об этом сказать?)

Эволюция может идти ко всем чертям, насколько я понимаю. Наше существование — какая-то зловещая ошибка. Мы наносим смертельные раны чудесной животворящей планете — единственной во всем Млечном

Пути — в этот век оружия массового поражения. Наше правительство ведет борьбу против наркотиков, не правда ли? Пусть займутся этим после того, как решат проблему использования бензина. Вот где настоящая опасность! Вы наполняете свою машину этой дрянью и несетесь со скоростью сто шестьдесят километров в час, сбиваете соседскую собаку и загрязняете атмосферу выхлопными газами. Эй, раз уж мы относим себя к виду «человек разумный», так зачем постепенно загаживать окружающее пространство? Давайте уж взорвем все на хрен — ну, или укуримся в дым. У кого-нибудь есть атомная бомба? Или лучше спросить так: у кого сегодня нет атомной бомбы?

Впрочем, в защиту человечества следует сказать, что вне зависимости от конкретной исторической эпохи, начиная с садов Эдема, каждый из нас просто рождался в конкретно-исторических условиях. И, не считая разве что этих самых райских времен, всё, что нам оставалось, так это быстро врубиться в правила безумных игр, в которые играют все вокруг и которые вынуждают нас вести себя неадекватно, даже если мы и пришли в этот мир вполне вменяемыми. Вот лишь некоторые из этих безумных игр, приводящих нас к массовому сумасшествию: любовь и ненависть, либерализм и консерватизм, автомобили и кредитные карты, гольф и женский баскетбол.

Я отношу себя к когорте деятелей с Великих Американских озер, к ее пресноводным, континентальным, неокеаническим умам. Каждый раз, когда я плаваю в море, меня преследует мысль, что я плаваю в курином бульоне.

Как и я, многие американские социалисты были пресноводными. Многие жители США не знают, чем занимались социалисты в первой половине двадцатого века и каких результатов добились в искусстве и ораторском мастерстве, равно как и какими организаторскими способностями и политической интуицией они обладали, чтобы занять определенные посты и заслужить уважение американских рабочих — нашего рабочего класса.

Но этот самый рабочий класс, не обладающий достойным социальным положением, высшим образованием или богатством, даже не подозревает, что двое самых блестящих писателей и ораторов в истории Америки, рассуждавших о глубочайших вопросах, были рабочими-самоучками. Я имею в виду, конечно же, Карла Сандбурга, поэта из Иллинойса, и Абрахама Линкольна из Кентукки, потом Индианы и, наконец, Иллинойса. Должен заметить, что оба были континентальными и пресноводными, как и я. Еще одной фигурой из нашего круга пресноводных и блестящим оратором был кандидат в президенты от Социалистической партии и бывший кочегар этого паровоза Юджин Виктор Дебс. Он родился в семье, принадлежавшей к среднему классу, в Терре-Хот, штат Индиана.

Гип-гип-ура нашей славной команде!

Так что слово «социализм» не страшнее, чем слово «христианство». Ставить знак равенства между социализмом и Сталиным с его КГБ — это все равно что ставить знак равенства между христианством и испанской инквизицией. Между прочим, христианство и социализм имеют много общего и предполагают, что человеческое общество должно строиться на принятии того факта, что все мужчины, женщины и дети созданы равными и не должны голодать.

Так уж исторически сложилось, что Адольф Гитлер назвал свою партию «Национальные социалисты». Сокращенно — «нацисты». И свастика Гитлера вовсе не являлась древним символом, как многие полагают. Она была христианским крестом, составленным из топоров — одного из орудий труда рабочего класса.

Теперь немного о Сталине, отменившем религию, и о китайских деятелях, которые, следуя его примеру, проводят подобную политику в своей стране. Подавление религии

25

было, предположительно, спровоцировано высказыванием Карла Маркса: «Религия — это опиум для народа». Маркс заявил это в 1844 году, когда опиум и его производные были всего лишь эффективными обезболивающими средствами, которые мог принимать любой желающий. Сам Маркс тоже их принимал. И был благодарен за временное облегчение, которое они приносили. В этом своем заявлении он всего лишь указывает (без всякого осуждения) на тот факт, что в бедственных социально-экономических условиях религия приносит народу утешение.

Кстати говоря, когда Маркс написал эти слова, мы еще даже не освободили наших рабов. Так кто, по-вашему, выглядел лучше в глазах милосердного Господа в то время — Карл Маркс или Соединенные Штаты Америки?

Сталин же был рад принять трюизм Маркса в качестве руководства к действию, а вместе с ним — и китайские тираны, ибо им было совершенно не выгодно, чтобы всякие там священники поносили их самих и их цели на чем свет стоит.

Это высказывание также дало право многим людям в нашей стране утверждать, что социалисты выступают против религии и против Бога, а потому совершенно омерзительны.

К сожалению, я никогда не встречался с Карлом Сандбургом или Юджином Виктором Дебсом, хотя мне бы очень этого хотелось. В присутствии этих людей, олицетворяющих национальное достояние, мой язык, надо думать, завязался бы узлом.

Но все же одного социалиста из их окружения я знал: Пауэрса Хэпгуда из Индианаполиса. Ему был свойственен идеализм, присущий столь многим в здешних краях. Социализм идеалистичен. Хэпгуд, как и Дебс, — выходец из среднего класса, считавший, что в этой стране могло бы быть больше социальной справедливости. Он хотел, чтобы страна стала лучше, вот и все.

После окончания Гарвардского университета он пошел работать в угольную шахту, где старался убедить своих собратьев, рабочих, организовать профсоюз с целью добиться повышения зарплаты и улучшения условий труда. Он также возглавил митинг протеста, когда приводили в исполнение смертный приговор двум анархистам — Николе Сакко и Бартоломео Ванцетти в штате Массачусетс в 1927 году.

Семье Хэпгуда принадлежал процветающий консервный завод в Индианаполисе. Пауэрс Хэпгуд унаследовал его и отдал рабочим, которые загубили все предприятие.

Мы встретились в Индианаполисе после окончания Второй мировой войны. Он как раз занял пост в Конгрессе профсоюзов. На одном из пикетов возникла какая-то потасовка, и его пригласили в суд для дачи показаний. Когда он был вызван в качестве свидетеля, судья вдруг остановил заседание и спросил: «Мистер Хэпгуд, насколько мне известно, вы закончили Гарвардский университет. Скажите на милость, из-за чего такой человек, как вы, с вашими способностями и возможностями, предпочел подобную жизнь?» На это Хэпгуд ответил: «Из-за чего, ваша честь? Из-за Нагорной проповеди».

И еще раз: гип-гип-ура нашей славной команде!

*

Я родился в семье людей творческих. И вот теперь сам зарабатываю на жизнь искусством. Это не было бунтом. Скорее — чем-то вроде вступления во владение семейной автозаправочной станцией. Все мои предки занимались творчеством, и я просто последовал семейной традиции.

Однако мой отец, художник и архитектор, так сильно пострадал во время Великой депрессии, когда едва мог заработать себе на кусок хлеба, что был уверен: мне никоим образом не стоит связываться с искусством и гуманитарными науками. Он предостерегал меня от подобного увлечения, так как считал, что в качестве способа зарабатывания денег искусство безнадежно. Отец говорил, что учеба в колледже светит мне только в том случае, если я приму решение обучаться серьезным и практичным вещам.

Студентом в Корнелле в качестве основного предмета я изучал химию, потому что мой брат был известным химиком. Критики считают, что человек не может стать серьезным писателем, будучи выпускником технического вуза, как я. Традиционно преподаватели факультетов английского языка в университетах, сами того не осознавая, сеют в своих студентах страх перед инженерным, физическим и химическим факультетами. И я думаю, что этот страх передался критикам. Большинство наших критиков, будучи детищами факультетов английского языка, весьма подозрительно настроены по отношению к любому, кто интересуется техническими и прикладными науками. Как бы там ни было, в качестве основного предмета я изучал химию, но сейчас меня частенько заносит на факультеты английского языка, где я иногда преподаю, так что я привнес научное мышление в литературу. Благодарностей за это я получил очень мало.

Так называемым писателем-фантастом я стал после того, как кто-то объявил, что я писатель-фантаст. Я вовсе не хотел быть классифицирован подобным образом, и меня не покидала мысль о том, в чем же состоит мое прегрешение, из-за коего мне отказано даже в самой возможности заслужить репутацию серьезного писателя. Как я решил, причиной стало то, что я писал о технике, а большинство утонченных американских писателей о технике ничего не знали. Меня классифицировали как писателя-фантаста просто потому, что я писал о городе Скенектади, что в штате Нью-Йорк. Моя первая книга «Механическое пианино» была про Скенектади. В Скенектади располагаются огромные фабрики, и ничего кроме них. Я и мои товарищи были инженерами, физиками, химиками и математиками. И когда я писал о компании «Дженерал Электрик» и Скенектади, для критиков, которые никогда там не бывали, это казалось фантазиями о будущем.

Я считаю, что романы, которые оставляют без внимания технику, искажают жизнь в столь же значительной степени, в какой она искажалась викторианцами, умалчивающими о сексе.

*

В 1968 году — когда я написал «Бойню № 5» — я наконец дорос до описания бомбардировки города Дрездена. Это была самая большая резня в истории Европы. Конечно, мне известно про Аушвиц, но резня — это то, что случается внезапно, отнимая жизни огромного количества людей за очень короткий промежуток времени. В Дрездене 13 февраля 1945 года в результате британских бомбардировок погибло 135 тысяч людей за одну ночь[6].

Полный бред, бесцельное уничтожение. Целый город сгорел дотла, и это было проявлением беспрецедентной британской жестокости — не нашей. Ночью они выслали бомбардировщики со своим новым изобретением[7] и спалили Дрезден до основания. В ту ночь огонь поглотил всю органику, за исключением небольшой группы военнопленных, включая меня. Это был эксперимент военных, призванный установить, возможно ли сжечь весь город, забросав его разрывными снарядами.

Как военнопленным нам приходилось не покладая рук хоронить мертвых немцев, выкапывая их задохнувшиеся тела из подвалов и перенося к огромному погребальному костру. И я слышал (но так и не увидел своими глазами), что это занятие оставили, потому

---

[6] В связи с особенностями застройки старого Дрездена при попадании бомбы мгновенно возникал пожар. Из-за сильной тяги он мгновенно распространялся на соседние здания, создавая так называемый «огненный смерч». Выживали лишь единицы, которым, как Воннегуту, посчастливилось оказаться в убежищах глубоко под землей.

[7] Город бомбили восьмитонными фугасными бомбами «Block Buster», предназначенными для разрушения сразу целых кварталов.

как дело шло медленно и по городу, естественно, распространялось зловоние. Послали за огнеметчиками.

Почему мои товарищи военнопленные и я сам не были убиты, я не знаю.

В 1968 году я был писателем. Точнее, литературным поденщиком, наемным писакой. И признаться честно, готов был написать все, что угодно, лишь бы заработать денег. Какого черта, думалось мне, ведь я видел все своими глазами и сам прошел через это! Итак, я собирался написать книгу о Дрездене на заказ. Такую, знаете, книгу, которая могла бы лечь в основу сценария кинофильма, где Дин Мартин, Фрэнк Синатра и другие сыграли бы нас. Я пытался писать, но выходила полнейшая чушь. Я не улавливал чего-то самого главного.

Как-то я зашел в гости к Берни О'Хари, своему старому приятелю. Мы пытались вспомнить забавные истории о том времени, когда мы были военнопленными в Дрездене, разговоры, требовавшие больших усилий, и другие вещи, с помощью которых можно создать остроумное кино о войне. И его жена, Мэри О'Хари, сказала: «Вы тогда были просто детьми».

В отношении солдат это правда. На самом деле они дети. А вовсе не кинозвезды. Не Дюк Уэйн. Понимание этого стало ключевым, и я наконец ощутил себя свободным от штампов и готовым поведать правду. Мы были детьми, и подзаголовком к «Бойне № 5» стало: «Крестовый поход детей».

Почему описание того, что произошло в Дрездене, заняло у меня двадцать три года? Мы все вернулись домой с историями, и все хотели на этом подзаработать тем или иным способом. То, что сказала Мэри О'Хари, по сути, звучало так: «Почему бы вам для разнообразия не рассказать правду?»

Эрнест Хемингуэй после Первой мировой войны написал рассказ «Дом солдата», о том, как это грубо — спрашивать солдата, вернувшегося домой с войны, где он был. Я думаю, многие, включая меня, замолкали, когда гражданские расспрашивали про сражение, про войну. Это было модно. Один из самых эффектных способов рассказать о войне — промолчать, знаете ли. При этом гражданским представляются широчайшие возможности проявления отчаянной храбрости.

Но мне кажется, война во Вьетнаме освободила от этого вынужденного молчания меня и других писателей, поскольку выставила напоказ наше желание подавлять и доминировать — и другие грязные и, по существу, глупые мотивы. Мы наконец могли рассказать о другой стороне войны: о том, что же *мы* творили с этими, возможно, самыми ужасными в истории, но тем не менее людьми —

33

нацистами. И то, что я видел и о чем мне пришлось написать, делает войну такой уродливой. Знаете, правда может быть реальной силой. Весьма неожиданное открытие.

Конечно, еще одна причина не говорить о войне заключается в том, что она невыразима.

FUNNIEST JOKE
IN THE WORLD:
"LAST NIGHT I
DREAMED
I WAS EATING
FLANNEL CAKES.
WHEN I WOKE UP
THE BLANKET WAS
GONE!"

Самая смешная шутка на свете:
«Этой ночью мне снилось,
что я ем фланелевые печенья.
Проснувшись утром, я не смог найти одеяла!»

Глава 3

А теперь урок литературного творчества.

Правило номер один: избегайте точек с запятой. Это языковые гермафродиты, по сути ничего собой не представляющие. Вся их роль сводится к подтверждению того факта, что вы учились в колледже.

Вижу, что некоторые из вас призадумались. Их раздирают сомнения: шучу я или говорю серьезно. Так что, начиная с этого момента, обещаю вас предупреждать, если мне вдруг захочется пошутить.

Вступайте в ряды пограничников или морской пехоты и учите их принципам демократии. Я шучу.

Нас вот-вот атакует «Аль-Каида». Так что вскиньте знамена, если они у вас есть. Пусть развеваются на ветру. Это их всегда пугает. Я шучу.

Если вам хочется сильно унизить вашу супругу (супруга), но у вас не хватает выдержки, чтобы развить в себе гомосексуальные пристрастия, можете как минимум посвятить себя искусству. На этот раз я не шучу. На жизнь этим не заработаешь. Это просто свойственный человеку способ делать жизнь более сносной.

Искусство возвышает душу и способствует росту самосознания. Ваши фактические успехи в той или иной выбранной области при этом не имеют никакого значения. Пойте в душе. Включите радио и танцуйте. Рассказывайте анекдоты. Напишите другу стихотворение. Пусть даже самое непотребное. Но сделайте это настолько хорошо, насколько можете. И вы будете вознаграждены сторицей. Вы станете сопричастны творчеству.

*

Хочу поделиться с вами одним открытием. Я буду рисовать на доске, чтобы вам было проще следовать за моей мыслью [*проводит вертикальную линию на доске*]. Это ось судьбы, ось СС—НС: счастливая судьба — несчастливая судьба. Смерть, нищета и болезни находятся вот тут, внизу, а процветание и превосходное здоровье — вот здесь, наверху. Среднестатистический человек находится где-то посередине. Его дела ни хороши ни плохи [*указывает на точки внизу, вверху и посередине проведенной линии соответственно*].

Это ось Н—К. Н — это начало, а К — это конец. Отлично. Поехали дальше. Не всякая жизнь может похвастаться такими простыми и приятными линиями, понятными даже компьютеру [*проводит горизонтальную линию из середины оси СС—НС*].

Теперь раскрою одну маркетинговую хитрость. Те, кто может позволить себе покупать книги и журналы, а также ходить в кино, и слышать не хотят о бедных и больных, — ваша история должна начинаться тут [*указывает на точку на верхнем отрезке оси СС—НС*]. На самом деле это одна и та же история, которая повторяется вновь и вновь. Народу она нравится, и исключительные права на нее пока что никто не купил. Назовем ее «Человек в полной заднице». Это вовсе не значит, что в ней действительно должны фигурировать задница и человек. Просто некто попадает в затруднительное положение и находит способ из него выбраться [*рисует линию А*]. То, что линия А заканчивается выше уровня, с которого она изначально начиналась, не случайно. Это действует на читателей воодушевляюще.

Еще одна история называется «Парень встречает девушку», но она отнюдь не должна повествовать о парне, встречающем девушку [*начинает проводить линию Б*]. Суть ее вот в чем: самый обычный, ничем не примечательный человек в один из обычных и ничем не примечательных дней вдруг сталкивается с чем-то совершенно фантастическим: «Господи! Вот он, мой самый счастливый день!» [*продолжает линию вниз*]... «Черт!» [*меняет направление и ведет линию вверх*]... И судьба снова поворачивается к нему лицом.

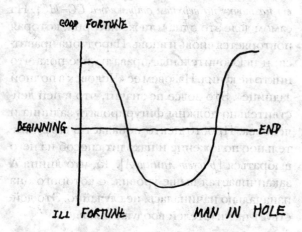

Надписи на рисунке (сверху вниз и слева направо): Счастливая судьба, Несчастливая судьба, Начало, Конец, Человек в полной заднице.

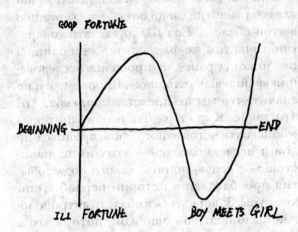

Надписи на рисунке (сверху вниз и слева направо):
Счастливая судьба, Несчастливая судьба,
Начало, Конец, Парень встречает девушку.

Теперь вот что (только не подумайте, что я пытаюсь вас запугать): закончив химический факультет Корнелла, после Второй мировой войны я поступил в Чикагский университет, где изучал антропологию и неожиданно для себя защитил кандидатскую диссертацию в этой области. Сол Бэллоу, кстати говоря, учился на том же факультете, и ни один из нас никогда ранее не проводил исследования «в полевых условиях». Впрочем, это не значит, что мы не представляли себе, что это такое. Я стал ходить по библиотекам в поисках отчетов этнографов, проповедников и исследователей — этих империалистов! — с целью понять, какого рода события преобладали в истории первобытной культуры. Защищаться в области антропологии было большой ошибкой, потому что я терпеть не могу первобытных людей — настолько они тупы. Но тем не менее я изучал все эти истории, собранные в разных концах света, одну за другой и обнаружил, что события в них совершенно не развиваются относительно оси СС—НС: линия сюжета полностью совпадает с осью Н—К. Такие дела. Так что оставим первобытные народы с их никудышными историями позади планеты всей, чего они, собственно, и заслуживают, и обратимся к захватывающим дух взлетам и падениям наших собственных, близких сердцу историй.

Один из самых известных сюжетов, рассказанных за всю историю человечества, начинается вот здесь, внизу [*начинает вести линию Б из нижней части оси СС—НС*]. Кто же этот отчаявшийся персонаж? Это девушка пятнадцати-шестнадцати лет, чья мать умерла, так что у нее есть все основания для депрессии. Ее отец почти тотчас женился на другой женщине, а точнее — бой-бабе с двумя далекими от совершенства дочками. Слышали про такое?

Во дворце намечается вечеринка, и она вынуждена помогать своим сводным сестрицам и внушающей ужас мачехе готовиться к балу. Самой ей предстоит остаться дома. Разве от этого ее отчаяние не возрастает? Нет. У этой маленькой девочки уже и так разбито сердце. Вполне достаточно того, что она потеряла мать. Дела ее и без этого бала хуже некуда. Итак, все отправляются во дворец. И тут появляется фея, ее ангел-хранитель [*рисует поступенчато возрастающую линию*], которая вручает ей колготки, тушь для ресниц и транспортное средство для поездки во дворец.

Когда героиня появляется во дворце, то тут же становится королевой бала [*продолжает линию вверх*]. Она так тщательно загримирована, что родственники даже не узнают ее. Затем наступает полночь и, как и было обещано, волшебство начинает рассеиваться [*направляет линию вниз*]. Пока часы бьют двенадцать раз, она возвращается к тому, с чего начинала. Но к тому же самому или все-таки нет? Конечно нет, черт возьми! Вне зависимости от того, что ждет ее дальше, она никогда не забудет, что Принц был в нее влюблен и что она была королевой бала. Так что хоть ее мытарства и продолжаются, она уже воспринимает происходящее на качественно ином уровне, что бы там с ней ни случилось. В конце концов туфелька ей подходит, и она вне себя от счастья [*проводит линию вверх, заканчивающуюся символом бесконечности*].

Теперь рассмотрим сюжет Франца Кафки [*начинает новую линию B из нижнего отрезка оси CC—HC*]. В центре его некий молодой человек, которого нельзя назвать ни уродом, ни красавцем. У обоих его родителей весьма тяжелый характер. Он вкалывает на нескольких работах, но ни одна из них не сулит ему никаких перспектив. Денег не хватает даже на то, чтобы сходить с девушкой на танцы или попить пивка с приятелем в баре. И вот однажды утром он просыпается, чтобы пойти на работу, и обнаруживает, что превратился в таракана [*ведет линию вниз и ставит знак бесконечности*]. Пессимистичная история.

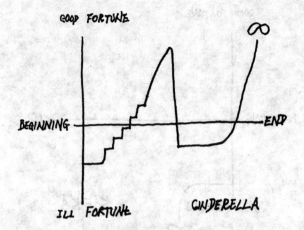

GOOD FORTUNE

∞

BEGINNING — END

ILL FORTUNE   CINDERELLA

*Надписи на рисунке (сверху вниз
и слева направо):*
Счастливая судьба, Несчастливая судьба,
Начало, Конец, Золушка.

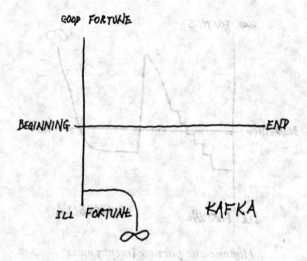

Надписи на рисунке (сверху вниз и слева направо): Счастливая судьба, Несчастливая судьба, Начало, Конец, Кафка.

А теперь вопрос: возможна ли адекватная оценка литературных произведений при помощи разработанной мной системы? Возможно, подлинный шедевр на этом кресте распинать и не стоит? Как насчет «Гамлета»? Я бы сказал, что это довольно неплохой образец того, как надо писать. Или, может, кто-нибудь хочет с этим поспорить? Я не буду проводить новую линию, потому что ситуация Гамлета в целом напоминает ситуацию Золушки, с той только разницей, что он другого пола.

Его отец только что погиб. Гамлет весьма подавлен. Мать сразу же выходит замуж за его дядю, который к тому же еще и порядочный ублюдок. Так что дела у Гамлета обстоят примерно так же, как и у Золушки. Тут появляется его друг Горацио и говорит: «Слушай, Гамлет, там на лестнице какой-то дух бестелесный утверждает, что он — твой отец. Ты бы пообщался с ним». Гамлет поднимается по лестнице и беседует с этим, знаете ли, весьма материальным привидением, которое, если быть кратким, говорит ему примерно следующее: «Я твой отец, я был убит, и ты должен отомстить за меня, это злодеяние совершил твой дядя, ты должен сделать то-то и то-то».

Итак, хорошие или плохие это новости? До сегодняшнего дня мы так и не знаем, было ли это привидение отцом Гамлета или нет.

Если вы побалуетесь некоторое время с доской Уиджа[8], то обнаружите, что вокруг полным-полно злобных духов, готовых довести до вашего сведения все, что угодно. Не верьте им. Госпожа Блаватская, которая была осведомлена о мире духов больше, чем кто-либо, говорила, что только дураки принимают приведений всерьез, потому что чаще всего они ведомы каким-то злым умыслом и, как правило, являются душами тех, кому была причинена насильственная смерть, душами самоубийц или обманутых жертв. Так что в большинстве случаев они просто пытаются изыскать возможность отомстить.

Итак, мы не знаем, было ли привидение духом отца Гамлета или нет и как стоит воспринимать то, что оно сказало, — как новость хорошую или как новость плохую. Не знал этого и сам Гамлет. Но он решил: «Хорошо, я найду способ все выяснить. Найму актеров. Пусть разыграют сцену убийства отца дядей так, как это описал призрак. Посмотрим, как дядя отреагирует на это шоу». Он ставит спектакль. Однако все происходит совершенно не так, как в книгах про Перри Мейсона[9]. Дядя Гамлета не лишается ума и не кричит:

---

[8] Другое название — «говорящая доска», планшетка для спиритических сеансов с нанесенными на нее буквами алфавита, цифрами от 1 до 10 и словами «да» и «нет».

[9] Главный герой серии детективов Эрла Гарднера, действие которых происходит в 60-х годах в Америке. — *Примеч. ред.*

Курт Воннегут

«Да, это был я! Я! Ты меня поймал! Поймал! Это сделал я! Признаюсь!» Затея терпит полное фиаско. Ни плохих новостей, ни хороших. После этой неудачи Гамлет решает поговорить с матерью, как вдруг занавесь шевелится. Думая, что за ней прячется дядя, Гамлет декламирует: «Прекрасно, я слишком долго был нерешительным, и меня от этого уже тошнит» — и пронзает своей рапирой стоящего за шторой. И кто же оттуда выпадает? Пустозвон Полоний. Этот Раш Лимбах[10]. Шекспир избавляется от этого глупца, словно от одноразовой посуды.

Знаете, некоторые тупые родители думают, что им стоит говорить своим детям то же, что Полоний — своим, хотя он дал им наитупейший из всех возможных советов (Шекспиру, однако, показавшийся смешным).

«Не давайте и не берите в долг». Так что же такое, по-вашему, жизнь, как не бесконечное одалживание? Мы постоянно берем и отдаем.

«Превыше всех цени самого себя». Будь эгоманьяком!

И вновь ни хороших, ни плохих новостей. Гамлета не арестовывают. Ведь он принц. Он может убивать сколько душе угодно. Так что он продолжает затеянное и в конце концов погибает на дуэли. Отправится ли он теперь

---

[10] Популярный нью-йоркский радиоведущий. — *Примеч. ред.*

на небеса или прямиком в ад? Есть некоторая разница, не правда ли? А что будет с Золушкой и тараканом Кафки? Не думаю, что Шекспир больше верил в небеса и ад, чем я. И мы не знаем, хорошо это или плохо.

Я только что продемонстрировал вам, что как рассказчик Шекспир был не лучше, чем племя арапаго.

Однако причина, по которой мы все считаем «Гамлета» шедевром, заключается совсем в другом: Шекспир сказал нам правду, а люди так редко это делают, будучи слишком увлеченными собственными взлетами и падениями [*указывает на доску*]. Правда же состоит в том, что мы знаем о жизни так мало, что даже не в состоянии определить, что для нас хорошо, а что плохо.

Когда я умру — упаси Господи, — мне бы хотелось отправиться на небеса, чтобы спросить там кого-нибудь, кто в этом понимает: «Послушай, дружище, может, скажешь, что на самом деле было плохо, а что хорошо?»

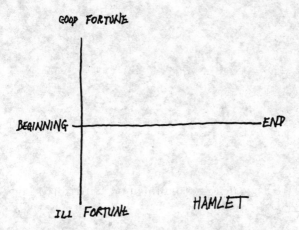

Надписи на рисунке (сверху вниз и слева направо): Счастливая судьба, Несчастливая судьба, Начало, Конец, Гамлет.

I DON'T KNOW
ABOUT YOU,
BUT I PRACTICE
A DISORGANIZED
RELIGION.
I BELONG TO AN
UNHOLY DISORDER.
WE CALL OURSELVES
"OUR LADY OF
PERPETUAL
ASTONISHMENT."

*Не знаю, как вы, а я исповедую
спонтанную религию.
Я принадлежу к церкви
«Нечестивого беспорядка»,
наша Богоматерь – вечное удивление.*

Глава 4

Я собираюсь вам раскрыть один секрет. Нет, я не собираюсь баллотироваться в президенты. Тем не менее, в отличие от некоторых, мне хорошо известно, что в состав полного предложения входит как подлежащее, так и сказуемое.

Вы также не услышите от меня, что я спал с малолетними детьми. Впрочем, раз уж об этом зашла речь, я признаюсь, что никогда не спал ни с кем старше моей жены.

А теперь главная новость: я собираюсь судиться с табачной компанией «Браун энд Уильямсон», производителями сигарет «Пэлл-Мэлл». Я намерен выдвинуть иск на миллион баксов! Пристрастившись к ним, когда мне было двенадцать, я никогда не злоупотреблял ничем, кроме сигарет «Пэлл-Мэлл» без фильтра. И уже в течение многих лет Браун и Уильямсон обещают убить меня, заявляя это прямо с пачки своего продукта.

Тем не менее мне уже восемьдесят два. Всё вашими молитвами, грязные подонки. Последняя вещь, о которой я всегда мечтал, — дожить до того дня, когда самых влиятельных и могущественных людей на планете будут звать Лобок, Член и Толстая Кишка[11].

Наше правительство ведет кампанию против наркотиков. И это, безусловно, куда лучше, чем если бы их не было вовсе. То же самое говорилось о сухом законе. Только представьте себе, что с 1919 по 1933 год производство, транспортировка и продажа алкогольной продукции были противозаконной деятельностью. В этой связи газетный юморист Кен Хаббард заметил: «Сухой закон все же лучше, чем полное отсутствие спиртных напитков».

Теперь подумайте вот о чем: два вещества, которыми больше всего злоупотребляют на нашей планете, от которых развивается сильнейшая зависимость и которые являются смертельно опасными, совершенно легальны. Оба.

Одно из них — это, конечно же, этиловый спирт. Сам президент Джордж Буш, по его собственному признанию, был пьян бóльшую часть времени с шестнадцати до сорока лет. Вдрызг, в хлам, как последняя свинья. Одним словом, редко просыхал. В сорок один ему

[11] Аллюзия к монологу американского комика Криса Рока, заканчивающегося фразой: «...когда Америкой правят Буш, Дик и Колин». Имеются в виду тогдашние президент Джордж Буш, вице-президент Дик Чейни и госсекретарь США Колин Пауэлл. Bush можно перевести с английского как «женский лобок», dick — как «мужской половой член», а colin созвучно слову colon — «толстая кишка». — Примеч. ред.

явился Иисус и заставил завязать со спиртным. Так что он перестал заливать за воротник.

Другим алкашам мерещатся розовые слоны.

Что касается меня и моей истории злоупотребления разными веществами, то я всегда был слишком труслив, чтобы попробовать героин, кокаин, ЛСД и так далее. Я боялся, что они могут окончательно сорвать мне башню. Что же до марихуаны, я как-то выкурил косяк с Джерри Гарсией и группой «Грейтфул Дэд» — просто чтобы поддержать компанию. Это не оказало на меня никакого видимого эффекта, так что смысла продолжать не было. По милости Всевышнего Господа или кого бы там ни было еще я не стал алкоголиком. Большей частью, конечно, благодаря хорошим генам. Я могу опрокинуть пару стопок время от времени, как, например, собираюсь сделать сегодня вечером, но всегда не больше двух. Две — это мой лимит. Так что никаких проблем.

Зато я давно прославился своим необоримым пристрастием к сигаретам. Я все еще надеюсь, что эти штуки меня прикончат. Огонь испепеляющей страсти с одного конца и сластолюбивый безумец — с другого.

А теперь признаюсь вам вот в чем: однажды я все же испытал такой кайф, который не идет в сравнение ни с каким кокаином. Это произошло в тот день, когда я получил водительские права. Глядите все скорей сюда, вот едет Курт Воннегут!

Мой тогдашний автомобиль — помнится, марки «студебеккер» — был мощнейшим наркотиком, каковым, безусловно, являются почти все средства передвижения и прочая техника в наши дни, включая электрогенераторы и нагревательные котлы. А самым опасным с точки зрения злоупотребления и привыкания наркотиком, оказывающим в высшей степени пагубное воздействие на нашу жизнь, является ископаемое топливо.

Когда вы появились на свет, и даже еще раньше, когда я появился на свет, этот мир со всей своей промышленностью и индустриализацией уже плотно «сидел» на ископаемом топливе. Но скоро от природных запасов совсем ничего не останется и наступит «ломка». Непруха.

Могу ли я быть с вами совершенно откровенен? Это ведь не выпуск новостей, не так ли? По моему скромному мнению, истина такова: мы все заядлые наркоманы, торчащие на ископаемом топливе. И сейчас у нас начался синдром отмены. В связи с тем что слишком большое число наркоманов поставлено перед фактом вынужденного сокращения и даже полного прекращения использования своего любимого наркотика в скором будущем, наши лидеры идут на самые тяжкие преступления, чтобы заполучить те жалкие остатки полезных ископаемых, которые еще где-то остались.

*

Что же, по-вашему, послужило началом конца? Кто-то скажет, что во всем виноваты Адам, Ева и яблоко с дерева познания добра и зла — случай чистого провоцирования на уголовно наказуемое деяние. Но я бы сказал, что все началось с Прометея — титана, сына богов, который, согласно греческой мифологии, украл у Зевса огонь и подарил его людям. Боги настолько ополоумели, что приковали его, обнаженного, к скале, чтобы грифы могли клевать и пожирать его печень. «Пожалеешь розгу, испортишь ребенка».

Сейчас становится понятным, что у богов было полное право так с ним обойтись. Наши двоюродные братья — гориллы, орангутанги, шимпанзе и гиббоны — прекрасно обходились все это время, поглощая сырую растительную пищу. Мы же не только готовим горячие обеды, но и едим все подряд, убивая и разрушая эту когда-то цветущую планету с ее неповторимой экосистемой, и достигли в этом деле внушительных результатов за какую-то пару сотен лет. Главным образом, конечно, при помощи термодинамического оружия на ископаемом топливе.

Англичанин Майкл Фарадей построил первый в мире генератор электричества всего сто семьдесят два года назад.

Немец Карл Бенц сконструировал свой первый автомобиль, оснащенный двигателем внутреннего сгорания, всего сто девятнадцать лет назад.

Первая нефтяная скважина в США — а теперь лишенная жизни дыра — была пробурена в Титусвилле, штат Пенсильвания, Эдвином Л. Дрейком всего сто пятьдесят пять лет назад.

Американцы братья Райт построили и запустили свой первый аэроплан всего сто один год назад. В качестве топлива использовался бензин.

Привести вам пример оружия, удар которого никто не успевает отразить?

Это мина-сюрприз.

Природные ископаемые добываются так легко и так быстро! И сейчас мы, на самом деле, высасываем из земли их последние капли и кубометры. Так что все огни скоро погаснут. Потому что электричество кончится. Все виды транспорта встанут, и планета Земля покроется коркой черепов, костей и безжизненных механизмов.

И никто не в силах ничего с этим поделать. Уже слишком поздно. Не в этой жизни.

Не хочу портить вам вечеринку, но правда такова: мы расточили все ресурсы этой планеты, включая пригодные для жизни воздух и воду. Никто не задумывался о завтрашнем дне, так что нет ничего удивительного в том, что он не наступит.

Пришло время Прометея-младшего. И это еще только цветочки.

EVOLUTION
IS SO CREATIVE.
THAT'S HOW
WE GOT
GIRAFFES.

Эволюция так изобретательна!
Благодаря ей появились
жирафы.

Глава 5

Ну что ж, хватит о серьезном, теперь побеседуем о сексе. О женщинах. Фрейд сказал, что не знает, чего хотят женщины. Как ни странно, я знаю это совершенно точно. Они хотят, чтобы у них всегда было с кем поговорить. О чем же они хотят разговаривать? Они хотят разговаривать обо всем.

А чего хотят мужчины? Они хотят, чтобы у них была куча приятелей и чтобы к ним предъявляли поменьше претензий.

Почему сегодня столько людей разводится? Все потому, что мало кто из нас теперь может похвастаться большой семьей. Раньше, когда мужчина и женщина вступали в брак, невеста получала значительное пополнение списка людей, с которыми можно болтать обо всем на свете, а жених в свою очередь получал еще большее число приятелей, которым можно рассказывать тупые анекдоты.

Некоторые американцы (хотя, прямо скажем, очень немногие) до сих пор живут большими семьями. Например, навахо. Или Кеннеди.

Но чаще всего, если мы вступаем сегодня в брак, то каждый из нас может предложить

Человек без страны, или Америка разБУШевалась

3 К. Воннегут

своей второй половине одного лишь себя. Жених получает всего одного приятеля, да и тот — женщина. А невеста получает только одного человека, с которым можно было бы болтать обо всем на свете, но это — мужчина.

Когда супруги начинают ссориться, им кажется, что это из-за денег, или власти, или секса, или воспитания детей, или чего угодно еще. Но на самом деле они, сами того не сознавая, говорят друг другу: «Мне мало тебя одного!»

Однажды в Нигерии я встретил человека из племени ибо, который довольно сносно знал шесть сотен своих родственников. Его жена только что родила ребенка — не это ли самая лучшая новость в любой большой семье?

И они как раз собирались познакомить дитя с его родней — ибо всех возрастов, форм и размеров. Ему предстояло увидеть всех, даже других младенцев, немногим старше его самого. Каждый, кто был достаточно взрослым и твердо стоял на ногах, собирался подержать его на руках, понянчиться с ним, поагукать и сказать, какой он симпатичный. Или симпатичная.

Разве бы вы не хотели оказаться на месте этого ребенка?

Вне всякого сомнения, я был бы просто счастлив, будь у меня волшебная палочка и имей я возможность одарить каждого из вас большой семьей, как у этого туземца из племени ибо, или у навахо, или у Кеннеди.

Теперь возьмем Джорджа и Лору Буш, которые представляют собой приятную во всех отношениях пару. Они окружены невероятно большой семьей, как полагается и всем нам, — я имею в виду судей, сенаторов, газетных редакторов, юристов, банкиров. Они не одни. То, что они являются членами большой семьи, объясняет, почему им так комфортно в этой жизни. И я действительно превыше всего на свете надеюсь, что Америка найдет способ обеспечить возможность всем своим гражданам иметь большую семью — а значит, большую группу людей, к которым они могут обратиться за помощью.

*

Я чистокровный американский немец, мои немецкие корни уходят к тому времени, когда американские немцы были эндогамны и женились только друг на друге. Когда в 1945 году я попросил руки англо-американки Джейн Мэри Кокс, один из ее дядей спросил, в самом ли деле она «хочет смешать свою кровь с этими немцами». И действительно, по сей день между германо- и англо-американцами существует своего рода линия обороны, которая, к счастью, становится все тоньше и тоньше.

Вы, наверное, думаете, что все это из-за Второй мировой войны, в которой англичане и американцы победили немцев и в результате которой пропасть немецкой национальной вины разверзлась, словно бездны ада. Тем не менее никто из американских немцев не совершил акта государственной измены. Нет, эта трещина впервые обозначилась во времена Гражданской войны, когда мои предки иммигрировали сюда и осели в Индианаполисе. Один, правда, потерял на этой войне ногу и вернулся обратно в Германию, но прочие остались и приложили все усилия, чтобы преуспеть.

Они прибыли на континент в то самое время, когда англичане были господствующим классом, вроде сегодняшних олигархов-полиглотов — владельцев корпораций, мечтающих о самой дешевой и самой безвольной рабочей силе, какую только можно сыскать на всем земном шаре. Состояние, в котором находились люди, нанимаемые на работу, верно описала Эмма Лазарус в 1883 году. Эти эпитеты одинаково применимы к обездоленным во все времена, как тогда, так и сейчас: «изнуренный», «нищий», «бездомный», «съежившийся», «отчаявшийся», «жалкий» и «неудовлетворенный». В те времена людей, подходивших под это описание, ввозили сюда специально, десятками тысяч, так как было совершенно очевидно, что это гораздо проще и дешевле, чем перевести производство туда, где они жили и были столь несчастны. Они добирались в Америку всеми возможными способами, какие только можно себе вообразить.

Однако в середине это приливной волны нищих случилось то, что, как стало понятно позже, оказалось для англичан своего рода явлением троянского коня, внутри которого на континент прибыли образованные, сытые немцы среднего уровня достатка. Немецкий средний класс. Преимущественно — бизнесмены со своими семьями, обладавшие деньгами и желавшие их вкладывать. Один из моих предков со стороны матери стал пивоваром в Индианаполисе. Однако ему даже не пришлось строить себе пивоварню. Он просто купил ее! Неплохо для начала, не правда ли? Потомкам этих людей также посчастливилось избежать участия в геноциде и этнических чистках, бушевавших на континенте, с которого когда-то прибыли их отцы.

Поразительно, но этим людям, не терзаемым чувством вины, общавшимся на работе по-английски, а дома — по-немецки, удалось не только наладить успешный бизнес в Индианаполисе и Милуоки, в Чикаго и

Цинциннати, но и построить собственные банки, концертные залы, рестораны, центры социального обслуживания, многоквартирные дома, летние коттеджные поселки и гимназии. Англичанам оставалось лишь удивляться (и не без причины, скажу я вам): «Чья это, черт побери, страна, в конце-то концов?»

WE ARE HERE
ON EARTH
TO FART AROUND.
DON'T LET
ANYBODY
TELL YOU
ANY DIFFERENT.

Мы появились на Земле,
чтобы валять дурака.
Никому не позволяйте
убедить себя в обратном.

Глава 6

Меня прозвали луддитом[12]. Я совсем не против.

Знаете ли вы, кто такие луддиты? Это люди, ненавидящие хитроумные новомодные изобретения. Нэд Лудд был рабочим на текстильной фабрике в Англии в конце восемнадцатого — начале девятнадцатого века и вывел из строя массу приспособлений, являвшихся в те дни последним словом техники. Скажем, механический ткацкий станок, грозивший сделать его, с его профессиональными навыками, безработным и отнять у него последнюю возможность обеспечивать себя и семью пропитанием, одеждой и кровом. В 1813 году английское правительство лишило жизни через повешение семнадцать человек, признанных виновными в «выводе из строя машин», как это тогда называлось. Сие преступление считалось особо тяжким и наказывалось смертной казнью.

Сегодня у нас есть такие хитроумные изобретения, как ядерные подводные лодки,

[12] Луддиты — участники первых стихийных выступлений против применения машин в Великобритании в конце XVIII – начале XIX века.

несущие на своих бортах реактивные снаряды типа «Посейдон» с водородными боеголовками. Еще у нас есть такие хитроумные изобретения, как компьютеры, которые надувают нас на каждом шагу, и это уже не лезет ни в какие рамки. Особенно воодушевляет в этой связи высказывание Билла Гейтса: «Погодите, скоро вы увидите, на что в действительности способен ваш компьютер». Но ведь это не чертовы компьютеры, а вы, человеческие существа, созданы для того, чтобы показать, на что вы способны. Вы способны на настоящие чудеса, если только приложите к этому необходимые усилия.

Прогресс вынул из меня всю душу. Он сделал из меня то же, во что, должно быть, сотню лет назад ткацкий станок превратил Нэда Лудда. Я говорю о пишущей машинке. Такой вещи больше просто не существует. Так уж исторически сложилось, что первым романом, напечатанным на пишущей машинке, стал «Приключения Гекльберри Финна».

Раньше (впрочем, это было не так уж и давно) я печатал свои произведения на машинке. Когда у меня скапливалось страниц двадцать, я делал карандашом пометки и вносил необходимые исправления. Затем я звонил Кэрол Аткинс, машинистке. Можете себе это вообразить? Она жила в Вудстоке, штат Нью-Йорк, где, как всем известно, в шестидесятые проходил знаменитый фестиваль «детей цветов», названный в честь этого местечка. (На самом деле он проходил неподалеку, рядом с маленьким городишком под названием Безель, так что любой, кто будет говорить вам, что ездил на «Вудсток» в Вудсток, на самом деле там не был.) Итак, я обычно звонил Кэрол и говорил: «Привет, Кэрол. Как ты поживаешь? Как спина? Ну что, прилетели к вам синие птички?[13]» И мы болтали о том о сем — я, знаете ли, люблю общаться с людьми.

Они с мужем пытались привлечь синешеек. А если вы пытаетесь привлечь их, вам, как известно, следует поместить скворечник для них всего в метре над землей. Как правило, люди вешают птичьи домики на забор, обозначающий границы их владений. Как при этом всех синешеек еще не отловили — для меня загадка. Но удача не шла к Аткинсам в руки, равно как не шла и ко мне, когда я пытался поймать их рядом со своим загородным домом. Как бы там ни было, обычно мы болтаем какое-то время, а потом я говорю: «Знаешь, у меня тут лежит пара страниц для тебя. Возьмешься?» Она, конечно же, соглашается. И знаете, она печатает так чисто, словно на компьютере. Тогда я говорю: «Надеюсь, пакет не затеряется по пути». А она отвечает: «Почта никогда ничего не теряет».

[13] Игра слов: имеются в виду синешейки, маленькие певчие птицы, с аллюзией на птицу счастья из пьесы М. Метерлинка.

И, судя по моему опыту, это чистейшая правда. Я еще никогда ничего не потерял. Так вот, она теперь тоже Нэд Лудд. Ее умения больше никому не нужны.

Как бы то ни было, я беру свои страницы и скрепляю их вместе этой стальной штуковиной — скрепкой для бумаг, — предварительно аккуратно пронумеровав. Потом спускаюсь вниз, чтобы выйти на улицу, и прохожу мимо жены, фотожурналистки Джилл Кременц, которая всегда была чертовски современна, а теперь стала современней некуда. Она кричит: «Куда ты собрался?» В детстве она обожала книги про Нэнси Дрю, — помните, такая девочка-детектив. Так что ей хочется знать все на свете, и с этим ничего нельзя поделать. Я отвечаю: «Иду купить конверт». Она возражает: «Ты же вроде не бедный человек, так купил бы сразу тысячу. Их можно заказать с доставкой на дом и хранить в кладовке». А я в ответ: «Женщина, молчать!»

Итак, я выхожу из дома, что на 48-й улице в Нью-Йорке (это между Второй и Третьей авеню), и направляюсь к газетному киоску через дорогу, в котором продаются всякие журналы, лотерейные билеты и канцелярские товары. Я отлично знаю их ассортимент и всегда беру у них конверты из манильской бумаги. Кто бы там ни делал эти конверты, он точно знал, бумагу какого размера я предпочитаю. Но прежде мне приходится отстоять очередь, потому что всегда есть желающие выиграть в лотерею и побаловаться леденцами или чем-нибудь в этом духе. Так что я стою в очереди и болтаю со всеми. Я интересуюсь: «Вы когда-нибудь видели человека, который выиграл что-нибудь в лотерею?» Или: «Что с вашей ногой?»

Наконец подходит моя очередь. Хозяева этого киоска — индусы. У женщины за стойкой между бровями поблескивает бинди. Разве хотя бы ради этого не стоило выходить из дома? Я спрашиваю ее: «За последнее время кто-нибудь выигрывал что-нибудь существенное?» Затем я расплачиваюсь за конверт и кладу в него свой бесценный манускрипт. В конверте предусмотрены два металлических штырька, которые проходят сквозь специальные отверстия в клапанах. Для тех, кто никогда не видел таких конвертов и понятия не имеет, как они застегиваются, скажу, что есть два способа это сделать. Я попеременно пользуюсь обоими. Сначала я лижу клейкую полоску — это довольно-таки эротично. Потом просовываю изящный металлический «пенис» в отверстие — кстати, никогда не знал, как эти штучки называются. И наконец, я защелкиваю клапан, заклеивая конверт.

Дальше я иду в почтовое отделение в квартале от угла 47-й улицы и Второй авеню. Это совсем недалеко от штаб-квартиры Организации Объединенных Наций, там всегда полно забавных персонажей со всех концов света. Я захожу внутрь и снова становлюсь в очередь. Я тайно влюблен в женщину за прилавком. Но она этого не знает. Зато в курсе моя жена. Я не собираюсь ничего предпринимать в этой связи. Она просто очень милая. Я даже не знаю, как она выглядит ниже талии, потому что всякий раз, когда я ее вижу, она стоит за прилавком. Но каждый день в ее внешности (по крайней мере, выше талии) появляется что-то новенькое. Она делает это специально, чтобы развеселить нас. Сегодня у нее вся голова в завитушках, а назавтра — уже прямые волосы. Однажды у нее на губах даже была черная помада. Все это проявление такой изобретательности и щедрости с ее стороны — стараться поднять настроение людям со всех уголков света.

Одним словом, я стою в очереди и любопытствую у тех, кто стоит рядом: «Что это за язык, на котором вы только что говорили? Это урду?» Мы мило беседуем. Иногда не очень мило. Иногда даже так: «Если вам тут не нравится, почему бы вам не вернуться туда, откуда вы приехали, — в вашу маленькую славную претенциозную страну с маленьким славным диктатором во главе?» Однажды в этой очереди у меня даже обчистили карманы. Пришлось вызывать полицейского и давать показания. Короче говоря, в конце концов я добираюсь до прилавка. Я не хочу признаваться ей в своей любви. Стараюсь сделать каменное лицо. С тем же успехом она может смотреть на мускусную дыню — так мало информации на моей физиономии. Зато сердце чуть не выпрыгивает из груди. Я отдаю ей конверт, потому что хочу, чтобы она его взвесила и сказала, наклеил ли я необходимое количество марок. Если она говорит, что марок достаточно и проштампует конверт, дело сделано. Значит, обратно он ко мне не вернется. Марок как раз на нужную сумму, так что я смело пишу на конверте адрес Кэрол из Вудстока.

Затем я выхожу на улицу, где стоит почтовый ящик. Огромная лягушка-вол, ждущая, когда ее накормят. Я засовываю свои страницы ей прямо в пасть и говорю: «Ква-а-а!»

После этого я возвращаюсь домой. И я чудесно провел время, черт возьми.

Электронное общение ничего подобного не приносит. Вы остаетесь ни с чем. Мы все — танцующие животные. Так чудесно бывает проснуться утром, выйти на улицу и чем-нибудь заняться. Мы появились на Земле, чтобы валять дурака. И не позволяйте никому убедить себя в обратном.

DO YOU THINK
ARABS ARE DUMB?
THEY GAVE US
OUR NUMBERS.
TRY DOING
LONG DIVISION
WITH
ROMAN NUMERALS.

По-вашему, арабы тупые?
Они подарили нам числительные.
Попробуйте-ка поделить столбиком,
используя римские цифры!

Глава 7

11 ноября 2004 года мне исполнилось восемьдесят два. Каково это — быть таким глубоким стариком? Я уже не способен поставить машину ровно по линиям парковочной разметки, будь она неладна, так что нет смысла подсматривать, как я пытаюсь это сделать, — ничего интересного все равно не увидите. Да и закон всемирного тяготения стал обходиться со мной не так милосердно и дружелюбно, как раньше.

Когда вы доживете до моих лет (если, конечно, доживете) и у вас будут дети (если они, конечно, у вас будут), вы непременно спросите своих детей, которые к тому моменту тоже будут уже на полпути к смерти: «Что же такое эта жизнь?» У меня, кстати говоря, семеро детей, причем четверо из них — приемные.

Этот важнейший вопрос о смысле жизни я задал своему сыну, который работает педиатром. И вот что доктор Воннегут ответил дряхлому отцу-маразматику, еле держащемуся на ногах: «Знаешь, отец, я думаю, что все мы здесь для того, чтобы облегчить друг другу сам процесс путешествия, в чем бы ни заключался его высший смысл».

*

Какими бы коррумпированными, алчными и бессердечными ни становились наши правительство, большой бизнес, СМИ, религиозные и благотворительные организации, музыка никогда не перестанет поражать и очаровывать.

Если я когда-нибудь все же умру — Боже упаси, конечно, — прошу написать на моей могиле такую эпитафию:

НЕОПРОВЕРЖИМЫМ
ДОКАЗАТЕЛЬСТВОМ
СУЩЕСТВОВАНИЯ БОГА
БЫЛА ДЛЯ НЕГО МУЗЫКА

А теперь вот что: в период войны во Вьетнаме — катастрофической по размаху идиотизма — музыка становилась все прекраснее и совершеннее. Войну, кстати говоря, мы проиграли. А порядок в Индокитае не начал восстанавливаться до тех пор, пока местные жители не дали нам пинка под зад.

Единственный результат этой войны — то, что миллионеры стали миллиардерами. Война, которая идет сейчас, превращает миллиардеров в триллионеров. Как вам нравится такой прогресс?

А главное, почему жители стран, которые мы пытаемся оккупировать, не воюют, как подобает леди и джентльменам, — в униформе, на танках и боевых вертолетах?

Ладно, вернемся лучше к музыке. С ней почти каждому жизнь кажется приятнее, чем без нее. Хоть я и пацифист, но даже военные оркестры поднимают мне настроение. Мне очень нравятся Штраус, Моцарт и другая классика, но поистине бесценный дар преподнесли человечеству афроамериканцы — еще в те времена, когда были рабами. Их подарок был настолько щедрым, что сегодня это чуть ли не единственная причина, по которой многие иностранцы все еще видят в нас хоть что-то положительное. Предназначение этого подарка — стать лекарством от охватившей мир эпидемии, депрессии, и называется он блюз. Вся современная поп-музыка — джаз, свинг, би-боп, Элвис Пресли, «Битлз», «Роллинг Стоунз», рок-н-ролл, хип-хоп и так далее и так далее — произошла от блюза.

Действительно ли это дар всему миру? Да. Одна из лучших ритм-энд-блюзовых групп, которую мне доводилось когда-либо слышать, состояла из трех парней и девушки из Финляндии. Они выступали в одном клубе в Кракове, в Польше.

Замечательный писатель Альберт Мюррей, который, помимо прочего, является историком музыки, специализирующимся в области джаза, и к тому же моим другом, рассказал мне, что в нашей стране во времена рабства со всеми его зверствами (от последствий которого мы, наверное, никогда окончательно не оправимся) средний уровень самоубийств среди рабовладельцев был гораздо выше, чем среди рабов.

Мюррей полагает, это связано с тем, что у рабов был способ справляться с депрессией, тогда как у их белых хозяев ничего подобного не имелось: рабы играли и пели блюз, и демон Суицид отступал. Кстати, Мюррей поделился со мной еще одной догадкой, и мне она показалась совершенно правильной. Он сказал, что блюз не может окончательно выгнать депрессию из дома, но прижимает ее к стенке и разгоняет по углам — везде, где звучит эта музыка. Можете взять на заметку — вдруг пригодится.

Иностранцы любят нас за наш джаз. А ненавидят вовсе не за свободу и справедливость для всех, на которые мы претендуем[14]. Они ненавидят нас за наше высокомерие.

*

Когда я ходил в начальную школу в Индианаполисе — это была школа №43 имени Джеймса Уиткомба Райли, — мы любили рисовать будущее: дома будущего, корабли бу-

[14] Ссылка на текст клятвы верности флагу Соединенных Штатов.

дущего, аэропланы будущего и так далее. Это были наши мечты о будущем. В то время вся страна, со всеми ее заводами и фабриками, будто остановилась. Была Великая депрессия, и слово «процветание» стало магическим словом. В один прекрасный день оно наступит, это Процветание. И мы готовились к нему. Мы представляли, в каких домах будут жить люди будущего. Идеальные жилища, идеальные средства передвижения.

Но сегодня все изменилось радикальным образом: моя дочь Лили, которой недавно исполнился двадцать один год, а вместе с ней и ваши дети, равно как и Джордж У. Буш (тоже до сих пор несмышленыш), Саддам Хусейн и все остальные, получили ужасающее наследство. Они унаследовали новейшую историю рабства, эпидемию СПИДа и атомные подлодки, дремлющие на дне исландских фьордов и в других точках Мирового океана. Их экипажи в любой момент готовы запустить огромную мясорубку по перетиранию мужчин, женщин и детей в радиоактивный пепел и костную муку при помощи ракет с ядерными боеголовками. Наши дети унаследовали технологии (причем мирные немногим лучше, чем военные), побочные продукты которых быстрыми темпами уничтожают планету как экосистему, дарующую нам воздух, пригодный для дыхания, воду, пригодную для питья, и поддерживающую жизнь в любых ее проявлениях.

Каждый, кому довелось заниматься наукой или хотя бы беседовать с учеными, не мог не заметить, что сегодня мы в большой опасности. Люди — как наши предки, так и мы сами — устроили на планете помойку.

Главная и неопровержимая истина сегодняшнего дня — и она сильно отравляет мне остаток дней — состоит в том, что людям совершенно наплевать, останется ли эта планета живой или погибнет. Ощущение такое, будто все ныне живущие — участники программы «Анонимные алкоголики» и не в состоянии жить иначе, кроме как одним днем. Кое у кого на горизонте проступают смутные очертания еще парочки дней этого едва обозримого будущего. Очень немногие из тех, кого я знаю, размышляют о том, какой мир они оставят внукам.

*

Много лет назад я был очень наивен. Я думал, что мы можем стать той гуманной и разумной Америкой, о которой мечтало столько людей моего поколения. Мы мечтали о такой Америке во времена Великой депрессии, когда у людей не было работы. А потом сражались и умирали за эту свою мечту во время Второй мировой войны, когда у людей не было мира.

Теперь я знаю: нет ни единого шанса, черт побери, что Америка станет гуманной и разумной. Потому что власть развращает, а абсолютная власть развращает абсолютно. Люди — это макаки, которые от вкуса власти пьянеют и теряют голову. По-вашему, утверждая, что наши лидеры — захмелевшие от власти макаки, я рискую подорвать боевой дух американских солдат, воюющих и гибнущих на Ближнем Востоке? Очнитесь! Их боевой дух, вместе с тысячами тел, уже давно разорван в клочья. Будто все они — лишь игрушки, подаренные избалованному ребенку на Рождество.

*

Самым разумным и искренним обращением ко всем, кого это как-либо затрагивало, произнесенным в связи с чудовищными человеческими бедами, навалившимися на людей по их же собственной вине, было выступление Авраама Линкольна на поле боя у Геттисберга, штат Пенсильвания[15], — в те времена, когда поля сражений были еще маленькими. Все поле можно было обозреть, сидя на лошади, с вершины холма. Причины и их последствия были простыми. Причиной был

---

[15] Эта речь, произнесенная 19 ноября 1863 года, вошла в историю ораторского искусства и историю Америки как одна из самых ярких страниц.

порох (смесь нитрата калия, древесного угля и серы), а результатом — вылетающий кусок металла. Или штык и мишень.

Вот что сказал Авраам Линкольн на поле брани затаившим дыхание солдатам:

Если взглянуть на вещи шире, у нас нет другого способа освятить, прославить или сделать эту землю достойной поклонения. Отважные солдаты — живые и мертвые, — сражавшиеся здесь, освятили ее своей кровью, и не в наших силах превознести или умалить величие содеянного ими.

Разве это не поэзия? В те времена ужасы и печали войны все еще могли показаться величественными. Тогдашние американцы все еще связывали войну с представлениями о чести и достоинстве. Они понимали, что к чему.

И позвольте мне заметить, что, распространяясь на эту тему, я успел сказать на сто (если не сверх того) слов больше, чем содержится во всем выступлении Линкольна при Геттисберге. Я безнадежно болтлив.

*

Принявшее в наши дни промышленные масштабы, истребление совершенно беззащитных людей целыми семьями с одной лишь целью приобретения военного или дипломатического-го преимущества поражает своим размахом.

Сама идея не так уж и свежа, в конце концов. Старомодные средства ведения войны просто сменили на сверхсовременные разработки ученых из университетов.

И что, это работает?

Энтузиасты или фанаты такого подхода, если можно их так назвать, полагают, что лидеры политических организаций, которые, мягко говоря, доставляют нам неудобство, испытывают жалость по отношению к своим собственным людям. Когда они видят или по крайней мере слышат о хорошенько поджаренных женщинах, детях и пожилых людях, которые подобны им внешне, говорят на том же языке и, может быть, даже являются их родственниками, они начинают совершать промахи. Такова теория, как я ее понимаю.

Те, кто в это верит, с таким же успехом могут сделать символом нашей внешней политики Санта-Клауса.

*

Куда делись Марк Твен и Авраам Линкольн сейчас, когда они так нужны нам? Оба они были мальчишками из среднеамериканских штатов, и оба заставляли американскую нацию хохотать над собой, внушая при этом чувство глубокой благодарности за эти нравоучительные шутки. Только представьте себе, что бы они сказали сегодня!

Одно из самых уничижающих и душераздирающих произведений Марка Твена посвящено массовому убийству нашими солдатами шести сотен мужчин, женщин и детей народности моро во время нашего «освобождения» Филиппин после американо-испанской войны. Нашим бравым командующим был Леонард Вуд, в честь которого даже назвали форт в Миссури. Он так и называется — форт имени Леонарда Вуда.

А что бы сказал Авраам Линкольн по поводу империалистических войн, развязанных Америкой? Тех самых, в которых наша страна под тем или иным благовидным предлогом пытается завладеть природными ресурсами или дешевой рабочей силой, желая сделать их собственностью богатеньких американцев, появившихся на свет в лучших политических условиях?

Почти каждый раз я делаю ошибку, упоминая Авраама Линкольна, потому что он затмевает всех остальных. Но кажется, придется процитировать его снова.

Более чем за десять лет до своего выступления при Геттисберге, а именно в 1848 году, еще будучи конгрессменом, он был подавлен и оскорблен нашей войной с Мексикой, которая и не думала нападать на нас. Когда член палаты представителей Линкольн произносил эти слова, он имел в виду Джеймса Полка, который в то время был президентом и верховным главнокомандующим Соединенных Штатов. Вот что сказал о нем Линкольн:

> Помня, что один из способов избежать испытующего взгляда народа — это перевести его на преувеличенный блеск военных побед, эту приковывающую взгляд радугу, которая сверкает после кровавых ливней, этот змеиный глаз, который очаровывает, чтобы погубить, — он с головой окунулся в военные действия.

Разрази меня гром! А я-то считал себя писателем!

Известно ли вам, что во время войны с Мексикой мы захватили город Мехико? Почему же, спрашивается, этот день не стал нашим национальным праздником? И почему лицо Джеймса Полка, нашего одиннадцатого президента, не высекли на горе Рашмор[16]? Он чудесно смотрелся бы там на пару с Рональдом Рейганом. И что же, по-вашему, сделало Мексику оплотом зла в глазах тогдашних законопослушных американцев? Напомню, что было это в сороковые годы XIX века, задолго до начала Гражданской войны. Внимание, правильный ответ: законы Мексики

---

[16] На отвесном склоне горы Рашмор в горах Блэк-Хилс, в штате Южная Дакота, выбиты барельефы президентов Джорджа Вашингтона, Томаса Джефферсона, Авраама Линкольна и Теодора Рузвельта, символизирующие собой принципы американской демократии.

запрещали рабство. Помните Аламо[17]? В той войне мы отхватили у Мексики Калифорнию, а также немало других земель вместе с собственностью и людьми, причем с таким видом, будто бы уничтожение мексиканских солдат, пытавшихся лишь защитить родные земли от захватчиков, вовсе не является убийством. Насколько расширились наши владения? Ну что ж, с тех пор Техас, Юту, Неваду, Аризону, часть Нью-Мексико, Колорадо и Вайоминга мы называем своими.

Раз уж зашла речь о людях, погрязших в войне, знаете ли вы, почему Джорджа У. Буша так бесят арабы? Все потому, что они придумали алгебру. В том числе и числа, которыми пользуется сейчас весь мир, включая ноль, символизирующий ничто, которого у европейцев никогда не было. По-вашему, арабы тупые? Они подарили нам числительные. Попробуйте-ка поделить столбиком, используя римские цифры!

---

[17] Речь идет о форте Аламо. В начале 1836 года, во время техасского восстания, когда США уже фактически присоединили Техас, мексиканские войска осадили форт Аламо, в котором закрылись около двух сотен техасцев, не желавших отступать. В ходе двухнедельного штурма форт был взят, а все его защитники убиты. Клич «Помните Аламо!» стал символом благородной мести. – *Примеч. ред.*

THE HIGHEST TREASON
IN THE USA
IS TO SAY
AMERICANS
ARE NOT LOVED,
NO MATTER
WHERE THEY ARE,
NO MATTER
WHAT
THEY ARE
DOING THERE.

*Признание того факта,
что американцев
могут где-то не любить,
равнозначно государственной измене —
при этом не имеет значения,
где именно их не любят
и что они там делают.*

Глава 8

Известно ли вам, кто такие гуманисты?

Мои родители, равно как и их родители, были гуманистами, или, как тогда говорили, «свободомыслящими». Так что, будучи гуманистом, я чту своих предков, что согласно Библии является богоугодным занятием. Гуманисты стараются вести себя честно, достойно и порядочно, не ожидая награды или наказания после смерти. Мои брат и сестра не верили в то, что после нее нас вообще что-то ожидает, впрочем, как не верили мои родители и родители моих родителей. Всем им достаточно было просто жить на белом свете. Гуманисты по мере сил и возможностей служат единственной абстракции, о которой у них есть хоть какое-то реальное представление: своим ближним.

По стечению обстоятельств я являюсь почетным председателем Американской гуманистической ассоциации, сменившим на этом по большому счету бесполезном посту покойного доктора Айзека Азимова, выдающегося и очень плодовитого писателя и ученого. Несколько лет назад на мемориальной церемонии в АГА по случаю его смерти я сказал:

Человек без страны, или Америка разБУШевалась

4 К. Воннегут

«Айзек теперь на небесах». Ничего смешнее я придумать не смог. Мои коллеги-гуманисты чуть животы себе не надорвали. Несколько минут потребовалось, чтобы восстановить хоть какое-то подобие торжественности. Так что надеюсь, что когда мне самому настанет черед присоединиться к хору ангелов (Боже упаси, конечно), вы не растеряетесь и скажете: «Курт теперь на небесах». Это моя любимая шутка.

Как гуманисты относятся к Иисусу? Скажу от лица всех гуманистов: «Если то, что проповедовал Христос, есть благо, — а он говорил так много прекрасных вещей, — то какое имеет значение, был ли он Богом или не был?»

Но если Нагорная проповедь Христа не была посланием во имя сострадания и милосердия, я бы не хотел быть человеком.

В таком случае меня вполне бы устроило родиться гремучей змеей.

*

Уже миллион лет или около того человечеству практически обо всем приходится догадываться. Поэтому главными героями наших исторических книг являются гадатели — то есть те, кому лучше других удавалось очаровывать, а порой и ужасать нас.

Назвать вам парочку имен? Пожалуйста. Аристотель и Гитлер.

Один — хороший гадатель, второй — плохой.

Веками у большинства людей, ощущавших, равно как и мы с вами сегодня, недостаток знаний, не оставалось другого выбора, кроме как верить тому или иному гадателю.

Так, на Руси тем, кого не устраивали догадки Ивана Грозного, обычно прибивали шапку к голове.

Однако следует отдать должное, что эти самые гадатели, обладавшие даром убеждения (даже Иван Грозный, которого в Советском Союзе сделали героем), порой вселяли в нас мужество и силы пережить суровые испытания, природа которых была нам непонятна. Неурожаи, эпидемии, извержения вулканов, мертворождение — во всех этих случаях гадатели поддерживали в нас иллюзию того, что даже такие капризы фортуны, как везение и невезение, поддаются пониманию и с ними можно обходиться разумно и эффективно. Без этой иллюзии у нас давно бы уже опустились руки.

На самом деле гадатели знали не больше, чем обычные люди, а иногда даже и меньше. Но не это главное. Им важно было создать иллюзию того, что мы сами — хозяева собственной судьбы.

Умение убеждать в правильности своих догадок всегда лежало в основе власти — с начала времен и до наших дней. Поэтому не стоит удивляться, что, хотя по воле судьбы сейчас мы обладаем колоссальными объемами информации, большинство нынешних лидеров этой планеты хочет, чтобы гадания продолжались: ведь теперь пришел их черед оглашать свои догадки, к которым все остальные должны прислушиваться.

Источником самых шумных и невежественных догадок в мире, которыми их авторы вдобавок имеют обыкновение гордиться, является на сегодняшний день Вашингтон. Наших лидеров просто тошнит от лавины достоверной информации, которую обрушивают на человечество наука, образование и журналистские расследования. Они считают, что вместе с ними от избытка знаний тошнит и всю страну. Может быть, они и правы. Они все хотят стандартизировать, но это отнюдь не «золотой стандарт», а нечто совсем примитивное. Они хотят всучить нам свою суперпилюлю — панацею от всех болезней.

Иметь при себе заряженный пистолет — хорошо (если, конечно, вы не заключенный и не пациент психбольницы).

Воистину так!

Тратить миллионы на здравоохранение — значит способствовать росту инфляции.

Воистину так!

Тратить миллиарды на гонку вооружений — значит способствовать ее обузданию.

Воистину так!

Правая диктатура гораздо ближе и роднее американским идеалам, чем диктатура левая.

Воистину так!

Чем больше у нас водородных бомб, готовых к запуску в любую секунду, тем безопаснее чувствует себя человечество и тем лучше для будущих поколений.

Воистину так!

Промышленные отходы, особенно радиоактивные, — штука почти безвредная, так что можете заткнуться на этот счет и помалкивать в тряпочку.

Воистину так!

Большому бизнесу должно быть позволено все: давать взятки чиновникам, загрязнять окружающую среду (совсем чуть-чуть), фиксировать цены, вводить в заблуждение дураков потребителей, подрывать конкуренцию и запускать руку в государственную казну, если дела идут плохо.

Воистину так!

Это и называется свободой предпринимательства.

Воистину так!

Бедняки наверняка совершили в прошлом какую-то о-о-о-очень большую ошибку, иначе бы не были бедны, так что пусть их дети расплачиваются за грехи отцов.

Воистину так!

Не следует думать, что Соединенные Штаты Америки обязаны заботиться о своих гражданах.

Воистину так!

О них позаботится рынок.

Воистину так!

Законы рынка автоматически заменяют правосудие.

Воистину так!

Ладно, это я шучу.

И если вы — человек действительно образованный и думающий, то с распростертыми объятьями в Вашингтоне вас никто не встретит. Я, например, знаю парочку способных семиклассников, которые в Вашингтоне не пришлись бы ко двору.

Помните этих врачей, которые несколько месяцев назад объявили на своем съезде, что очевидные и непреложные медицинские факты говорят: человечество не переживет даже «скромного» обмена водородными бомбами? Так вот, в Вашингтоне им никто за это не сказал спасибо.

Даже если мы нанесем термоядерный удар первыми и противник не успеет ответить, радиация, распространяясь, постепенно погубит всю планету.

И как же на это отреагировали в Вашингтоне? Погадали. По их прикидкам, это не так. Спрашивается, что толку от образования, если бал правят эти неистовые гадатели — ненавистники информации.

Кстати, почти все они получили отличное образование. Задумайтесь над этим. И им пришлось выкинуть на помойку все полученные знания — все, чему их научили в Йеле или Гарварде.

А что было делать? Как им иначе тыкать пальцем в небо — раз за разом, снова и снова? Пожалуйста, не берите с них пример. Хотя, с другой стороны, если вы не откажетесь от

Человек без страны, или Америка разБУШевалась

пользования гигантской кладовой информации, доступной сегодня образованным людям, вы обречены на страшное одиночество. Гадатели превосходят вас числом — попробую угадать — раз эдак в десять.

*

Если кто не знает, в результате позорного инцидента с бесстыдной фальсификацией результатов выборов во Флориде, благодаря которой тысячи афроамериканцев были лишены своих избирательных прав, теперь мы позиционируем себя всему остальному миру как гордые, оскалившиеся всей своей выступающей вперед челюстью, больные на всю голову милитаристы, вооруженные до зубов, — безжалостные и безнаказанные.

Если кто еще не заметил, на сегодняшний день нас боятся и ненавидят по всему миру так, как когда-то боялись и ненавидели нацистов.

И небезосновательно.

Если кто еще не заметил, наши самопровозглашенные лидеры бесчеловечно обходятся с миллионами человеческих существ только потому, что их не устраивает раса или вероисповедание последних. Будем их ранить, калечить, пытать, убивать, бросать за решетку — все, что захотим. Запросто!

Подумаешь, пустяки какие.

Если кто еще не заметил, мы бесчеловечно обращаемся и со своими собственными солдатами, но уже не в связи с их расой или вероисповеданием, а по причине их низкого положения в нашем обществе.

Пошлем их, куда взбредет нам в голову. Желательно подальше. И будем их заставлять делать все, что только будет угодно наше левой пятке. Запросто!

Подумаешь, пустяки какие.

Вот вам и весь «Фактор О'Рэйли»[18].

Так что вынужден признаться: у меня нет страны, нет родных — за исключением библиотекарей да журнала «Ин Зис Таймс[19]».

Еще до того, как мы атаковали Ирак, со страниц главного американского издания «Нью-Йорк Таймс» нас заверяли в том, что у Ирака имеется оружие массового поражения.

Альберт Эйнштейн и Марк Твен — оба под конец жизни были вынуждены оставить мечты о будущем человечества. И это при том, что Твен даже не дожил до Первой мировой. А сейчас война и подавно превратилась в телевизионное развлекательное шоу. Напомню, что в Первую мировую самыми зрелищными

---

[18] Популярная информационно-аналитическая программа на американском телевидении, в эфире которой выступал Джордж Буш.
[19] In These Times (осн. 1976) — чикагский ежемесячный левый журнал.

развлечениями были два американских изобретения — колючая проволока и пулемет.

Шрапнель была изобретена англичанином, в честь которого она и названа. А вы разве никогда не мечтали, чтобы вашим именем что-нибудь назвали?

Как и мои великие предшественники Эйнштейн и Твен, мне хочется махнуть рукой, думая о будущем человечества. И, как ветеран Второй мировой, я могу сказать, что это не первый раз, когда мне приходится капитулировать перед безжалостной военной машиной.

Какими будут мои последние слова? «Жизнь дается не для того, чтобы ставить эксперименты над другими живыми существами — пусть даже над мышами».

Напалм изобрели в Гарварде. Veritas![20]

Наш президент — христианин? А разве Адольф Гитлер им не был?

Что мы можем сказать сегодня молодому поколению? Что психопаты (то есть люди без совести, жалости и стыда) прикарманили все денежки, как казенные, так и корпоративные, и распоряжаются ими по своему усмотрению?

*

Самое большее, что я могу предложить вам, чтобы хоть как-то вас поддержать, — сущий

[20] Истинно! (*лат.*).

пустяк. Это ненамного лучше, чем вообще ничего, а может быть, и хуже. Это идея «героя современности». Я хочу рассказать вам историю жизни Игнаца Земмельвейса — моего героя.

Игнац Филипп Земмельвейс[21] родился в Будапеште в 1818 году. Он жил вместе с моими и вашими дедами и прадедами, и может показаться, что это было давным-давно. Но на самом деле он жил, можно сказать, вчера.

По специальности он был акушером, что уже само по себе делает его героем современности. Всю свою жизнь он посвятил здоровью новорожденных и их матерей. Нам нужно больше таких героев. С ускорением темпов индустриализации и милитаризации все меньше и меньше внимания уделяется здоровью детей, матерей, стариков и других категорий граждан, которые нуждаются сегодня в физической или экономической поддержке.

Я уже сказал вам, что все это не столь уж и залежавшаяся информация. Так, например, идее о том, что болезни вызываются микроорганизмами, всего сто сорок лет. Для сравнения: моему дому в Сагапонаке, что на Лонг-Айленд, почти в два раза больше. Не имею ни малейшего понятия, как тем, кто его строил,

---

[21] Венгерский акушер, установивший инфекционную природу родильной горячки (1818—1865).

несмотря ни на что все же удалось прожить достаточно долго, чтобы закончить строительство. Теория микроорганизмов по-настоящему молода. Когда мой отец был мальчишкой, Луи Пастер все еще был жив, а его научные выкладки по-прежнему вызывали полемику. В те времена тоже было немало высокопоставленных и влиятельных гадателей, которые приходили в неистовство, когда люди прислушивались к его, а не к их мнению.

Итак, Игнац Земмельвейс тоже верил, что именно микроорганизмы являются причиной многих заболеваний. И он пришел в ужас, придя на работу в родильный дом в Вене, в Австрии, где, по статистике, одна мать из десяти умирала во время или сразу после родов.

Все эти женщины были бедны — богатые могли позволить себе родить ребенка дома. Ознакомившись с повседневной работой роддома, Земмельвейс сделал вывод, что доктора заражают своих пациенток. Он заметил, что многие врачи сразу после препарирования трупов в морге частенько отправлялись на обследование матерей в родильном отделении. Тогда в качестве эксперимента он предложил врачам мыть руки перед тем, как прикасаться к роженицам.

Только представьте себе что-либо более оскорбительное! Да как он только осмелился выдвинуть такое предложение в отношении тех, кто стоял выше его по социальной лестнице? Он был никем, и прекрасно осознавал это. Этот венгр не имел ни друзей, ни покровителей среди австрийской родовой знати. Но количество смертей было огромным, и Земмельвейс, у которого было не больше понимания, чем у нас с вами, относительно того, как взаимодействовать с другими живыми существами в этом мире, продолжал просить своих коллег мыть руки перед обследованиями.

Наконец они согласились на эксперимент — исключительно с целью сделать его объектом насмешек и всеобщего презрения. С какой, должно быть, издевкой они мылили и оттирали свои руки и вычищали грязь из-под ногтей!

И смертность снизилась. Только представьте себе! Роженицы перестали умирать. Он спас жизнь всем этим женщинам!

А в перспективе, надо отметить, он спас миллионы жизней. Не исключено, что среди них — моя или ваша. И какой же благодарности дождался Земмельвейс от венской медицинской элиты, которая вся сплошь состояла из «светил» (то есть гадателей)? Он был выдворен из родильного дома и вообще из Австрии, народу которой он так искренне служил. Он закончил свою карьеру в провинциальном госпитале в Венгрии. Там он окончательно разочаровался в человечестве — то есть в нас и нашем «информационном веке» — и в себе самом.

И вот однажды в прозекторской он взял лезвие скальпеля, которым только что препарировал труп, и умышленно воткнул его себе в кисть. Вскоре после этого он скончался, как и предполагал, в результате заражения крови.

Гадатели обладали всей полнотой власти. И они, как всегда, победили. Микроорганизмы, ну надо же! «Светила» обнажили одну из подлинных черт своей натуры, которая во всей своей красе предстала перед нами сегодня. Они не очень-то заинтересованы в спасении жизней. Единственное, что для них действительно имеет значение, так это то, чтобы их словам внимали, какими бы невежественными ни были их догадки, которым нет конца и края. Если и есть на свете то, что они по-настоящему ненавидят, так это сведущие люди.

Так что будьте одним из сведущих. Во имя спасения наших жизней, включая и вашу собственную. Будьте благородны и честны.

WE DO, DOODLEY DO,
DOODLEY DO, DOODLEY DO,
WHAT WE MUST,
MUDDILY MUST,
MUDDILY MUST,
MUDDILY MUST,

UNTIL WE BUST,
BODILY BUST,
BODILY BUST,
BODILY BUST.

— BOKONON

Ра-ра-ра, работать пора,
Ла-ла-ла, делай дела,
Но-но-но — как суждено,
Пых-пах-пох, пока не издох.

Боконон[22]

[22] Стихотворение из книги «Колыбель для кошки» (*перевод Р. Райт-Ковалевой. См. также сн. 2*).

Глава 9

«Относись к другим так же, как ты хотел бы, чтобы они относились к тебе». Многие люди приписывают это высказывание Иисусу, потому что оно весьма в духе того, что Христос проповедовал. Однако на самом деле это сказал Конфуций — китайский философ — аж за пять сотен лет до рождения величайшего и самого человечного из всех людей человека по имени Иисус Христос.

Китайцы также подарили миру — посредством Марко Поло — макаронные изделия и формулу пороха. Китайцы были такими тупыми, что сами использовали порох только для фейерверков. Впрочем, в те времена все были тупыми — настолько тупыми, что живущие в одном полушарии даже не подозревали, что существует еще и другое.

Определенно, мы прошли большой путь с тех пор. Иногда мне кажется, что лучше бы мы этого не делали. Я не испытываю добрых чувств по отношению к водородным бомбам и шоу Джерри Спрингера.

Но вернемся к людям вроде Конфуция, Иисуса и моего сына Марка, врача по специальности, каждый из которых по-своему объяснил, как вести себя более человечно в надежде на то, что в этом мире станет чуть меньше боли. Особую симпатию среди этих чудаков я испытываю к Юджину Дебсу из Терре-Хот, что в моем родном штате Индиана.

Вот вам информация к размышлению. Юджин Дебс ушел из жизни в 1926 году, когда мне самому не было еще и четырех. Он пять раз баллотировался в президенты от Социалистической партии и в 1912 году набрал 900 000 голосов, что составляло почти шесть процентов от общего числа избирателей. Можете себе представить? Во время предвыборной кампании он произнес следующие слова:

> До тех пор пока существует низший класс, я — его представитель. До тех пор пока не перевелись преступники, я — один из них. До тех пор пока хотя бы одна душа томится за решеткой, я не чувствую себя свободным.

Неужели, вставая каждый день с кровати ни свет ни заря, вам не хочется сказать: «До тех пор пока существует низший класс, я — его представитель. До тех пор пока не перевелись преступники, я — один из них. До тех пор пока хотя бы одна душа томится за решеткой, я не чувствую себя свободным»?

А как насчет так называемых заповедей блаженства в Нагорной проповеди Христа?

Блаженны кроткие, ибо они
                    наследуют землю.
Блаженны милостивые, ибо они
                    помилованы будут.
Блаженны миротворцы, ибо они
                    будут наречены сынами Божьими.

И так далее.

Несколько отличается от положений республиканской платформы, не правда ли? От того, что говорят нам Джордж У. Буш, Дик Чейни или Дональд Рамсфилд. Согласитесь.

Почему-то те, кто громче всех кричит о том, что они — христиане, ударяя себя при этом кулаком в грудь, никогда не вспоминают о заповедях блаженства, зато частенько, со слезами на глазах, требуют, чтобы текст всем известных десяти заповедей был развешен во всех общественных зданиях. Как мы помним, принадлежат эти высказывания Моисею, а не Христу. Знаете, я еще ни разу не слышал, чтобы кто-то из этих правоверных требовал, чтобы Нагорная проповедь или хотя бы заповеди блаженства были хоть где-нибудь развешаны.

Например, «Блаженны милостивые, ибо они помилованы будут» — в судах? А «Блаженны миротворцы, ибо они будут наречены сынами Божьими» — в Пентагоне?

А теперь перекур!

115

Как ни странно, базовые идеалы всех людей — вовсе не какие-то заоблачные выси. Они имеют прямое отношение к закону и отражены в нашей Конституции!

Однако у меня есть подозрение, что наша страна, за Конституцию которой я сражался во Вторую мировую, могла быть захвачена марсианами и папарацци. Иногда мне даже хочется, чтобы так оно и оказалось. Однако на деле захват власти был осуществлен с помощью весьма сомнительного государственного переворота в стиле «Кейстоунских копов»[23].

Однажды меня спросили, нет ли у меня соображений насчет телевизионного реалити-шоу, которое могло бы быть по-настоящему устрашающим. Я знаю только одно по-настоящему устрашающее реалити-шоу, от которого волосы встают дыбом: студенты-троечники из Йельского университета.

Джордж У. Буш собрал вокруг себя отличную команду: самые сливки этих троечников, которые не знают ни истории, ни географии, плюс ничуть не скрывающие своих убеждений белые супремасисты[24], называющие себя

[23] Немая комедия 1912 года, в которой дебютировал Чарли Чаплин. — *Примеч. ред.*
[24] Сторонники превосходства и/или доминирующего положения какой-либо группы.

христианами, плюс (и это пугает больше всего) нравственные уроды (медицинский термин для обозначения умных и привлекательных людей, у которых напрочь отсутствует совесть).

Сказать про кого-то, что он нравственный урод, — значит поставить вполне конкретный диагноз, вроде аппендицита или микоза стоп. Классической работой на эту тему является труд клинического психиатра, профессора при Медицинском колледже Джорджии, доктора Херви Клекли «Маска нормальности», выпущенный в 1941 году[25]. Почитайте — весьма познавательно!

Кто-то рождается глухим, кто-то — слепым или каким угодно еще. Названная же книга описывает людей с врожденным пороком, которые сегодня повергают нашу страну, да и другие части света тоже, в полнейшее безумие. У них от рождения отсутствует совесть, но в какой-то момент именно в их руках сосредоточилась власть.

Они респектабельны, они отлично знают, какие страдания причиняют совершенные ими действия, но их это не заботит. Они вообще по своей природе не способны проявлять заботу. Один из болтов не привинчен!

---

[25] В этой работе Х. М. Клекли (1903—1984) исследовал состояние психопатической личности и выделил 22 основные характеристики психопата.

Попробуйте найти синдром, описание которого лучше подходило бы для этого повального на сегодняшний день явления, когда чиновники и руководители (в Enron, WorldCom и других корпорациях) в целях личного обогащения заживо хоронят своих подчиненных, инвесторов и всю страну и при этом ведут себя так, будто они чисты аки агнцы! И не имеет значения, что им или о них говорят. Они же разжигают войны, в которых миллионеры становятся миллиардерами, а миллиардеры — триллионерами. Им же принадлежат СМИ, и они же финансируют Джорджа Буша. И можете мне поверить: уж точно не потому, что он против гомосексуальных браков.

Многие из этих лишенных сердца нравственных уродов занимают сейчас большие посты в федеральном правительстве, будто бы они — самые настоящие лидеры, а не люди с поврежденной психикой. И на них лежит большая ответственность. Они отвечают за коммуникации, за образование, так что мы с таким же успехом могли бы жить в оккупированной Польше.

Должно быть, им казалось, что с головой окунуть страну в бесконечные войны — это всего-навсего совершить решительный поступок. Именно эта самая решительность и позволила столь большому числу нравственных уродов взлететь на такие высоты в корпорациях, а теперь еще и в правительстве. Они готовы совершать подобное каждый божий день, и их невозможно напугать, потому что у них отсутствует чувство страха. В отличие от нормальных людей они никогда ни в чем не сомневаются — просто потому, что им давно насрать на то, что будет завтра. Болтов хватает только на то, чтобы давать распоряжения. Делать то! Делать это! Мобилизовать резервы! Приватизировать бесплатные средние школы! Атаковать Ирак! Урезать затраты на здравоохранение! Прослушивать все телефонные разговоры! Сократить налогообложение богачей! Пустить триллион долларов на возведение противоракетного щита! И к черту неприкосновенность личности, «Сьерра Клаб»[26] и журнал «Ин Зис Таймс»! Всем немедленно целовать наши задницы!

Это трагическая ошибка нашей драгоценнейшей Конституции, и я не знаю, что нужно сделать, чтобы ее исправить. Но факт остается фактом: только законченные психи хотят стать президентом. Так было всегда, даже когда я учился в школе. Только те ученики, у которых был явный сдвиг по фазе, выставляли свои кандидатуры на пост президента класса.

---

[26] Одна из самых известных и старейших общественных экологических организаций США. — *Примеч. ред.*

Человек без страны, или Америка разБУШевалась

Название фильма Майкла Мура «11 сентября по Фаренгейту» — аллюзия к заглавию замечательного научно-фантастического романа Рэя Брэдбери «451 градус по Фаренгейту». Четыреста пятьдесят один градус по Фаренгейту — это, кстати говоря, температура возгорания бумаги, а именно из нее, как известно, делаются книги. Герой Брэдбери — муниципальный служащий, работа которого состоит в том, чтобы сжигать книги.

И раз уж мы коснулись этого вопроса, мне бы хотелось поздравить наших библиотекарей. Не в связи с их спортивными достижениями, политическим влиянием или огромным благосостоянием, которыми они никогда не отличались. Но в связи с тем, что по всей стране они выстояли в борьбе с теми, кто, позабыв о демократии, кричал о необходимости изъять определенные книги с библиотечных полок, и отказались выдать «полиции мыслей» имена людей, бравших читать эти книги.

Так что Америка, которую я любил, все еще существует! Если и не в Белом доме, Верховном суде, Сенате, Палате представителей или СМИ, то, по крайней мере, на полках публичных библиотек. Америка, которую я любил, все еще жива.

И еще немного по поводу книг: современные источники ежедневной информации — я имею в виду газеты и телевидение — совершенно забыли о том, что смысл их существования заключается в том, чтобы представлять интересы простых американцев. Они настолько трусливы, слепы и неинформативны, что только из книг мы можем узнать о том, что же происходит на самом деле.

Например, из «Династии Буша, династии Сауда» Крейга Ангера, опубликованной в начале 2004-го — этого унизительного, позорного и кровавого года.

THAT'S THE END OF
GOOD NEWS ABOUT
ANYTHING. OUR
PLANET'S IMMUNE
SYSTEM IS TRYING
TO GET RID OF
PEOPLE. THIS IS
SURE THE WAY TO
DO THAT.

                    KV

    6 AM   11/3/04

Kurt Vonnegut (signature)

Хорошие новости на этом кончились.
Иммунная система нашей планеты
старается самоочиститься от людей.
И можете мне поверить,
она найдет способ, как это сделать.

К. В.
6:00, 3 ноября 2004 года

Глава 10

Пару лет назад одна энергичная женщина из Ипсиланти прислала мне письмо. Она знала, что я еще не совсем одряхлел и к тому же демократ с Севера — один из тех, кого в традициях Франклина Делано Рузвельта называют «пожизненный друг работяг». Она собиралась родить ребенка — не подумайте, что от меня, — и пыталась понять, не совершит ли она ужасную вещь, позволив этому нежному, чистому и ни в чем не повинному младенцу появиться на свет в столь отвратительном мире, как тот, в котором мы с вами живем.

Она написала: «Что бы Вы посоветовали сорокатрехлетней женщине, которая наконец-то решила стать матерью, но все же боится выпускать новую жизнь в этот пугающий мир».

Не делай этого! Вот что я бы ответил. Возможно, на свет появится еще один Джордж У. Буш или Лукреция Борджиа. Этому ребенку «повезет» родиться в обществе, где даже бедняки страдают избыточным весом, но при этом отсутствует стратегия развития государственного здравоохранения и доступное для большинства граждан среднее образование, где смертная казнь и война — всего лишь развлечения, а гарантия для поступления в колледж — отсутствие руки или ноги. Если, конечно, этот ребенок не канадец, швед, англичанин, француз или немец. Так что мой совет: занимайся безопасным сексом или эмигрируй.

Но я ответил, что благодаря святым, которых я встречаю повсюду, лично для меня жизнь все же стоит того, чтобы жить. И еще, конечно, благодаря музыке. Под святыми я подразумеваю людей, которые ведут себя вменяемо и порядочно в обществе сумасшедших.

*

Один парень, Джо из Питсбурга, обратился ко мне с просьбой: «Пожалуйста, скажите, что все будет хорошо».

«Добро пожаловать на Землю, — ответил я. — Летом здесь жарко, зимой холодно. Она круглая, влажная и густо населена людьми. Каждому из них, Джо, отведено около сотни лет. И насколько мне известно, есть только одно правило: черт тебя подери, Джо, ты должен быть добрым!»

*

Молодой человек из Сиэтла на днях написал мне:

Недавно меня попросили, — сейчас это обычное дело, — снять обувь для досмотра службой безопасности аэропорта. Когда я вверял лотку свои ботинки, меня переполняло чувство горького абсурда. Я должен разуться, чтобы мои ботинки проверили рентгеном, потому что какой-то чувак попытался взорвать самолет при помощи своих кроссовок. И я подумал, нет, я почувствовал, что нахожусь в мире, который даже Курт Воннегут не мог себе вообразить. Теперь я наконец могу задать этот вопрос вам лично: сделайте одолжение, ответьте, приходило ли вам в голову хоть что-то подобное? (И знаете, мы окажемся в настоящей беде, если какой-нибудь умелец изобретет взрывоопасные трусы.)

Я ответил:

Этот фокус с ботинками, «оранжевый код»[27] и тому подобное — классные шутки, практикуемые по всему миру. Но мой на все времена любимый прикол отмочил во время войны во Вьетнаме ее противник, святой клоун Эби Хофман (1936—1989). Он объявил, что можно получать обалденный кайф от засовывания банановых шкурок в задницу. После чего ученые из ФБР регулярно фаршировали свои задние проходы банановыми шкурками, чтобы выяснить, правда это или нет. Ну по крайней мере, мы на это надеялись.

[27] Средний уровень готовности к отражению ударов врага, в частности терактов, по американской шкале условных обозначений.

Люди запуганы. Взять хотя бы этого человека без адреса, который написал мне:

Если бы вы знали, что некто представляет для вас опасность — допустим, у него пистолет в кармане и вы понимаете, что он без колебаний пустит его в ход против вас, — что бы вы сделали? Мы знаем, что Ирак угрожает нам и всему остальному миру. Почему мы сидим здесь, делая вид, что мы в безопасности? Точно так же было с «Аль-Каидой» и 11 сентября. В случае с Ираком, впрочем, выросли масштабы угрозы. Стоит ли нам отсиживаться, уподобляясь маленьким детям, которые просто замирают, парализованные страхом, и ждут, что же с ними случится?

Я ответил:

Пожалуйста, ради всех нас, заведите себе ружье (лучше — двустволку двенадцатого калибра) и прямо в своем районе поотстреливайте головы всем, кто может быть вооружен, за исключением полицейских.

*

Человек с острова Литтл Дир-Айл, штат Мэн, спрашивает в своем письме:

Какова изначальная мотивация «Аль-Каиды», совершающей убийства и акты самоуничтожения? Президент говорит: «Они ненавидят наши свободы» — свободу вероисповедания, свободу речи, свободу избирать и собираться и свободу выражать свое несогласие друг другу. Это, мягко говоря, отличается от того, что мы узнаем от заключенных из Гуантанамо, как, наверное, и от того, что он говорит на своих брифингах. Почему средства массовой информации и избранные нами политики закрывают глаза на подобный бред? И о каком мире и тем паче доверии лидерам можно говорить, если от американцев скрывают правду?

Ну хочется, конечно, чтобы те, кто путем государственного переворота в стиле Микки-Мауса захватил власть в нашем федеральном правительстве (и, соответственно, во всем мире), те, кто способен вывести из строя всю охранную сигнализацию, предписанную Конституцией (которая, к слову, разделяет властные полномочия между Белым домом, Сенатом, Верховным судом и Нами, народом), — чтобы все эти люди стали настоящими Христианами. Но, как давным-давно сказал Уильям Шекспир, «даже дьявол может цитировать Библию для своей выгоды».

А вот о чем пишет один человек из Сан-Франциско:

Как американцы могут быть такими недалекими? Они по-прежнему верят, что Буша

Человек без страны, или Америка разБУШевалась

5 К. Воннегут

действительно избрали народным голосованием, что он заботится о нас и понимает, что делает. Ну или, по крайней мере, у него есть об этом некоторое представление. Но как, по-вашему, можно «спасать» людей, убивая их и подвергая разрухе их страну? Как можно утверждать, что нас скоро атакует кто-то другой, если мы сами наносим удары первыми? Ни чувство, ни здравый смысл, ни общепринятая мораль не могут до него достучаться. Он — не кто иной, как безумная марионетка, ведущая всех нас к пропасти. Почему люди не видят, что король-то, то есть военный диктатор из Белого дома, — голый?

Я ответил: если он сомневается, что мы — демоны Ада, ему стоит прочесть «Таинственного странника», написанного Марком Твеном в 1898 году, задолго до Второй мировой войны (1914—1918 годов). В предисловии он, теша свой (да и мой) сарказм, доказывает, что именно Сатана, а не Бог, создал планету Земля и «проклятую человеческую расу». Если вы полагаете, что это маловероятно, почитайте утреннюю газету. Возьмите любую. Дата не имеет значения.

WHAT IS IT,
WHAT CAN IT
POSSIBLY BE
ABOUT
BLOW JOBS
AND GOLF?

— MARTIAN VISITOR.

Мы так и не поняли,
зачем нужны оральный секс и гольф?

Марсианка,
посетившая Землю

Глава 11

У меня есть для вас одна хорошая новость и одна плохая. Начнем с плохой: марсиане высадились в Нью-Йорке и остановились в отеле «Вальдорф-Астория». О хорошем: едят они только бездомных мужчин, женщин и детей, безотносительно к цвету их кожи, и мочатся бензином.

Заправьте этой мочой «феррари» — и можете гнать пару сотен километров в час. А если залить немного в самолет — будете лететь пулей. Очень удобно. Можно забрасывать арабов всяким дерьмом. Заправьте школьный автобус — отвезете детей в школу и обратно. Заправьте тачку пожарников — она доставит их прямо к месту пожара, туши — не хочу. Зальете в бак своей «хонды» — и без проблем доедете до работы и домой.

Но главная новость — это то, чем они срут. Внимание, правильный ответ: это уран. Каждый из них может осветить и согреть все дома, школы, церкви и офисы, например, Такомы[28].

---

[28] Город на северо-западе США, штат Вашингтон, насчитывает около 200 тысяч жителей.

А теперь серьезно. Если вы следите за последними событиями в бульварной прессе (ею можно разжиться в ближайшем супермаркете), то наверняка знаете, что команда марсиан-антропологов изучала нашу культуру все последнее десятилетие, поскольку наша культура — это единственное, что еще заслуживает хоть какого-то внимания на этой планете. Можете смело забыть про Бразилию и Аргентину.

Как бы там ни было, на прошлой неделе марсиане отправились домой, потому что знали, что в скором времени тут должно разразиться глобальное потепление, и хорошо представляли его последствия. Кстати говоря, их космический корабль не был летающей тарелкой. Скорее, летающей суповой миской. А сами они довольно маленькие — всего пятнадцать сантиметров от земли. И вовсе не зеленые, а розовато-лиловые.

На прощание их маленькая сиреневая предводительница сказала своим мультяшным тоненьким голоском, что есть только две вещи в американской культуре, которые так и остались непонятны марсианам.

«А именно, — пропищала она, — мы так и не поняли, зачем нужны оральный секс и гольф?»

Это были отрывки из романа, над которым я работаю последние пять лет, — о Гиле

134

Бермане, замечательном сорокавосьмилетнем эстрадном артисте разговорного жанра конца времен. Роман о том, какие шутки мы шутим, доедая остатки рыбы из океана и отравляя недоеденное, высасывая из земли последние капли и выжигая последние кубометры ископаемого топлива. Но она не позволит нам истощить себя.

Рабочее название этой книги (вернее, как раз наоборот — нерабочее) — «Если бы Бог жил сегодня». И знаете, я думаю, пришло время отблагодарить Бога за то, что мы живем в стране, где даже бедняки страдают избыточным весом. Впрочем, диета Буша может и это исправить.

И еще немного о романе «Если бы Бог жил сегодня», который я могу так никогда и не закончить. Его главный герой, выдающийся артист разговорного жанра Судного дня, не только осуждает нашу наркозависимость от ископаемого топлива и ее яростных защитников из Белого дома, но также в связи с перенаселением планеты выступает против сексуально ориентированного общения. Гил Берман обращается к своей аудитории так:

Я стал кастратом, черт побери. Дал обет безбрачия, как и по меньшей мере половина гетеросексуального римско-католического клира. Но безбрачие — не единственный способ.

Давайте поговорим о безопасном сексе! Говорить — дешево и удобно. А главное, впоследствии вам не придется ничего предпринимать, потому что не будет никаких последствий.

Когда моя истеричка — так я называю свой телевизор — включается и тычет мне в лицо своими сиськами и глупыми улыбками, говоря при этом, что все, кроме меня, будут трахаться сегодня вечером и что нация в критическом положении, так что я должен ломиться из дома покупать тачку, или таблетки, или складной тренажер, который помещается под кроватью, я смеюсь как шакал. И я и вы — все мы прекрасно знаем, что миллионы и миллионы добропорядочных американцев (и здесь присутствующие не исключение) вовсе не собираются трахаться сегодня вечером.

Мы, убежденные кастраты, предлагаем присоединиться к нашим рядам! Я с нетерпением жду дня, когда не кто иной, как сам президент Соединенных Штатов, который, возможно, тоже не собирается трахаться сегодня вечером, объявит Национальный день кастратов. Тогда, повылазив из своих кабинетов, мы выступим миллионной толпой. Плечом к плечу, с гордо задранными вверх носами, мы промаршируем по центральным улицам, по нашей помешанной на сиськах демократической стране, хохоча как шакалы.

Что там было про Бога? Что, если бы Он жил сегодня? Гил Берман отвечает: «Богу пришлось бы стать атеистом, поскольку все давно и безнадежно пропитано дерьмом, давно и безнадежно».

*

Я думаю, наша огромная ошибка, вторая по значимости после того, что мы люди, имеет отношение к истинной природе времени. У нас есть все инструменты (я имею в виду часы, календари и прочее), чтобы пустить его в нарезку, словно салями, и давать затем названия этим кускам, как будто бы мы ими владеем и как будто бы они неизменны, например: «11 часов утра, 11 ноября 1918 года», хотя на самом деле скорее ртуть убежит из ложки или начнет разламываться на части.

Так ли это невероятно тогда, что причиной Первой мировой войны стала Вторая? Иначе Первая так и останется необъяснимым бредом самого ужасного свойства.

Или вот еще: возможно ли, что те, кто казался нам непостижимо гениальным, как, например, Бах, Шекспир или Эйнштейн, были вовсе не сверхлюдьми, а простыми плагиаторами, копирующими замечательные идеи из будущего?

*

Во вторник, 20 января 2004 года, я послал Джоэлу Блейфусу, моему редактору из журнала «Ин Зис Таймс», следующий факс:

«Оранжевая угроза

Атака "экономического террора"

Ожидается в 8 вечера – К. В.».

Взволнованный, он позвонил, чтобы выяснить, что случилось. Я сказал, что расскажу, когда у меня будет более полная информация касательно бомб, которые Джордж Буш обещал доставить по месту назначения в своем ежегодном послании Конгрессу.

Тем вечером мне позвонил друг, непечатающийся писатель-фантаст Килгор Траут. Он спросил:

– Ты смотрел ежегодное послание Конгрессу?

– Да, и это зрелище, безусловно, напомнило мне об изречении великого английского социалиста и драматурга Джорджа Бернарда Шоу о нашей планете.

– О каком изречении?

– «Я не знаю, обитаема ли Луна, но, если бы она была обитаема, ее жители наверняка использовали бы Землю в качестве приюта для лунатиков». И он говорил не о микроорганизмах и даже не о слонах – он имел в виду нас, людей.

– Ясно.

— Значит, тебе не кажется, что здесь нашли приют сумасшедшие со всей Вселенной?

— Курт, мне кажется, что я вообще не успел еще высказать своей точки зрения — ни за ни против.

— Мы убиваем систему жизнеобеспечения этой планеты ядами, порождаемыми всей этой нашей термодинамической гулянкой, которую мы тут устроили при помощи атомной энергии и ископаемого топлива, и все об этом знают, и никому нет до этого дела. Мы же самые настоящие психи. Я думаю, иммунная система планеты пытается избавиться от нас с помощью СПИДа, новых эпидемий гриппа, туберкулеза и тому подобного. Мы ужасные скоты. Помнишь эту идиотскую песню Барбары Стрейзанд: «Люди, которым нужны люди, — самые счастливые люди на свете» — это же она про каннибалов. Еда! Нам нужно много еды. Планета пытается избавиться от нас, но, думаю, уже слишком поздно.

И я попрощался с другом, повесил трубку, присел и написал такую эпитафию: «Матушка Земля — мы могли бы спасти ее, но были слишком скупы и ленивы».

*Жизнь дается не для того,
чтобы ставить эксперименты
над другими живыми существами.*

PECULIAR
TRAVEL SUGGESTIONS
ARE
DANCING LESSONS
FROM GOD.

—BOKONON

*Странные приключения,
в которые мы оказываемся вовлечены, —
это уроки танцев, вечно
преподаваемые нам Богом.*

Боконон

Глава 12

Одно время я был владельцем и управляющим агентства по продаже автомобилей в Западном Барнстейбле, что на мысе Кейп-Код, штат Массачусетс. Агентство называлось «Сааб Кейп-Код». Тридцать три года назад мы — я и мое агентство — вынуждены были отойти от дел. Контора прекратила свое существование. «Сааб» была и остается шведской маркой, так что мой провал в качестве автомобильного дилера в те далекие времена объясняет в моей биографии многое из того, что иначе так и осталось бы сокрытым завесой тайны. Например, тот факт, что шведы так и не присудили мне Нобелевскую премию по литературе. Старая норвежская поговорка гласит: «У шведа короткий член, но долгая память».

А дело было так: тридцать с лишним лет назад компания «Сааб» выпускала только одну-единственную модель автомобилей — что-то наподобие «жуков», которые делает «Фольксваген». Это был двухдверный седан с двигателем спереди. В зоне пониженного давления, которая образуется за любым быстро движущимся автомобилем, его суицидо-озабоченные двери то и дело открывались.

И в отличие от остальных легковых машин движок у него был двухтактный, а не четырехтактный — как у газонокосилки или моторной лодки. Так что каждый раз, заливая бак бензина, вы были вынуждены заливать еще и канистру масла. Не знаю, по каким причинам, но большинство женщин почему-то напрочь забывало об этом нюансе.

Ключевым моментом рекламной кампании было то, что на светофоре «сааб» мог сделать «фольксваген». Но если вы или ваша вторая половина по каким-то причинам забывали залить масло вместе с последней канистрой бензина, то еще до светофора машина со всеми ее пассажирами превращалась в один большой фейерверк. У нее также был передний, а не полный привод, что, впрочем, выручало на скользких мостовых или если вы прибавляли скорость на петляющей дороге. Один клиент, выбиравший себе машину, сказал: «Они же делают лучшие в мире часы, так почему бы им не начать выпускать лучшие в мире автомобили?» Я еле сдержал улыбку.

В те дни «саабу» было далеко до мощных лоснящихся четырехтактных автомобилей, которые сегодня являются непременным атрибутом любого яппи. В те дни это было, если хотите, неоформившейся мечтой инженеров авиазавода, которые никогда раньше не конструировали автомобилей. «Неоформившейся мечтой» — так я сказал? Вот вам информация к размышлению: на приборной панели имелось специальное кольцо, которое цепью, проходящей над шкивами, соединялось с двигателем. Если вы дергали за него, на другом конце этого приспособления, за передней решеткой, отодвигалась специальная шторка на пружине. Это было придумано для того, чтобы двигатель оставался теплым, пока вы отлучались по делам. Так что по возвращении (при условии, что отсутствие было не слишком долгим) вы могли сесть за руль и сразу же тронуться с места.

Но если вас не было *слишком* долго, неважно, при открытой или закрытой шторке, масло отделялось от бензина, осаждалось и скапливалось на днище бака. И когда вы возвращались, садились в машину и трогались с места, все вокруг покрывалось густой пеленой дыма, словно это был не автомобиль, а подбитый в морском сражении эскадренный миноносец. И я, кстати говоря, поместил таким образом целый город под черную дымовую завесу, когда солнце было в самом зените. Это было в Вудс-Холе, где я примерно на неделю оставил свой «сааб» на парковке. Говорят, местные старожилы до сих пор удивляются, откуда могло взяться столько дыма. В общем, я сам себя оставил без Нобелевской премии, нелестно отзываясь о шведском автомобилестроении.

Чертовски трудно придумать удачную шутку. В «Колыбели для кошки», например, главы очень короткие. Каждая глава описывает один день, и каждая сама по себе шутка. Если бы я рассказывал о чем-то трагическом, то не было бы необходимости устанавливать жесткие временные ограничения, ибо это было бы трагично в любом случае. Сложно потерпеть неудачу в освещении трагической сцены. Трагическая сцена обречена быть трагической, если в ней присутствуют все необходимые элементы трагизма. Но с шутками все обстоит иначе: это все равно что самостоятельно смастерить мышеловку. Нужно хорошенько потрудиться, чтобы конструкция захлопнулась в тот самый момент, когда ей полагается захлопнуться.

Я до сих пор слушаю выступления артистов разговорного жанра, но подобных передач осталось не так уж и много. Например, радиовикторина Граучо Маркса[29] «Клянись жизнью», которую периодически повторяют. Я знал писателей-юмористов, которые перестали писать о смешном и стали серьезными людьми. Они просто не могли больше придумать ни одной шутки. Я говорю сейчас

[29] «You bet your life» — юмористическая передача, выходившая в эфир с 1947 по 1951 год. Граучо Маркс — один из пяти братьев Маркс, знаменитых комиков.

о Майкле Фрейне, английском писателе, который написал «Оловянных солдатиков». Он стал абсолютно серьезным человеком. Что-то повернулось у него в голове.

Юмор — это своего рода способ бегства от ужасов жизни, способ самозащиты. Но в конце концов ты слишком устаешь убегать, а новости становятся только хуже, так что даже юмор уже не помогает. Иные, вроде Марка Твена, полагали, что жизнь — кошмарная штука, но держали свой ужас перед ней под контролем с помощью шуток и шли вперед. Впрочем, даже Твен под конец жизни не мог этого делать. Его жена, лучший друг и обе его дочери — все они ушли из жизни прежде него. Если вы живете достаточно долго, то теряете все больше и больше близких людей.

Возможно, я и сам уже разучился шутить, потому что смех перестал быть удовлетворительным защитным механизмом. Некоторые люди забавны, а другие — нет. Я сам бываю довольно забавным. Или уже не бываю. В моей жизни было столько потрясений и разочарований, что этот защитный механизм вполне мог быть выведен из строя. Вероятно, я стал чересчур несдержанным и даже сварливым, потому что видел слишком много вещей, которые меня задевали и с которыми я не мог взаимодействовать посредством смеха.

Да, может статься, это со мной уже произошло. И признаюсь честно, я совершенно не представляю, кем стану в следующий момент. Я просто продолжаю путешествовать по жизни, наблюдая, что происходит с телом и умом, которые я называю своими. Я вздрагиваю при мысли о том, что я писатель. Не думаю, что могу контролировать свою жизнь или свое творчество. Все остальные писатели, которых я знаю, чувствуют себя капитанами в этом плавании, — у меня же нет такого чувства. Я не осуществляю никакого контроля. Я просто становлюсь — кем-то, каким-то. Все, о чем я мечтал, — дать людям возможность облегчить душу смехом. Юмор может принести колоссальное облегчение, как таблетка аспирина. И если через сто лет люди все еще будут смеяться, я буду счастлив.

*

Я прошу прощения у тех своих читателей, которые являются ровесниками моих внуков. А я полагаю, что многие из тех, кто держит сейчас эту книгу, одного с ними поколения. Их, как и вас, здорово надули все эти плодящиеся на дрожжах корпорации и правительство.

На этой планете творится чудовищный бардак. И так было всегда. Никаких «старых добрых дней» никогда не было — всегда были просто дни. И как я говорю своим внукам — не смотрите на меня: я только что с поезда.

Есть много старых пердунов, которые скажут вам, что пока вы не переживете чего-то ужасного, подобного тому, что пережили они (Великую депрессию, Вторую мировую или вьетнамскую войну), вы не повзрослеете. Этот деструктивный, если не сказать — суицидальный, миф придуман рассказчиками. Снова и снова в их историях мы встречаем персонажей, которые после страшной катастрофы произносят что-нибудь вроде: «Теперь я стала женщиной, теперь я стал мужчиной, конец».

Когда я пришел домой с войны — это была Вторая мировая, — мой дядя Дэн, похлопав меня по спине, объявил: «Теперь ты стал мужчиной». И я убил его. То есть я его, конечно, не убил, но был очень к этому близок.

Дядя Дэн, говоривший, что мужчина, не прошедший войны, — не мужчина, был моим плохим дядюшкой.

Но у меня имелся еще и хороший дядюшка — покойный дядя Алекс, младший брат моего отца, начитанный и умный. Дядя Алекс окончил Гарвард и стал страховым агентом в Индианаполисе — честным страховым агентом. Своих детей у него не было. В других людях дядю Алекса расстраивало только одно: то, что они необычайно редко обращают внимание на счастливые моменты своей жизни. Так что когда все мы, скажем, потягивали лимонад в тени яблоневых деревьев в летнюю жару, млея и жужжа о том о сем, словно пчелы, дядя Алекс мог прямо посреди этой болтовни вдруг вставить: «Ну разве это не чудесно?»

Теперь я и сам нередко произношу эту фразу, как, впрочем, и мои дети, и дети моих детей. И я всем вам очень рекомендую: пожалуйста, подмечайте мгновения счастья и восклицайте (или говорите это шепотом, или вообще про себя, если хотите): «Ну разве это не чудесно?»

*

Никто не рождается с уже развитым воображением. Воображение у нас развивается благодаря родителям и учителям. Были времена, когда воображение играло огромную роль в жизни человека, потому что было основным способом развлечения. Если бы в 1892 году вам было семь лет и вы прочли историю — самую простую историю о девочке, у которой умерла собака, — разве вам не захотелось бы расплакаться? Разве вам не стало бы понятно, что чувствовала эта маленькая девочка? А после этого вы прочли бы другую историю — о богаче, поскользнувшемся на банановой кожуре. Разве вам не захотелось бы рассмеяться? И обе эти воображаемые сцены родились бы исключительно в вашей голове. Когда вы идете в картинную галерею, то видите не более чем прямоугольное полотно с несколькими мазками краски, которое висит на одном и том же месте сотни лет и от которого даже не исходит ни малейшего звука.

Механизм воображения натренирован отзываться на малейшие раздражители. Книга является набором из двадцати шести[30] фонетических символов, десяти цифр и приблизительно восьми знаков препинания, но люди смотрят на эти условные обозначения и видят извержение Везувия или битву при Ватерлоо. Однако сейчас родителям и учителям больше нет необходимости выстраивать в ваших головах все эти схемы и цепи размышлений. Сейчас у нас есть профессионально продюсируемые шоу со звездами в главных ролях и всевозможные приборы для реалистичной передачи изображения, звуков, музыки. Мы живем в век информации, и на этой информационной супермагистрали навыки развитого воображения нужны нам не больше, чем умение держаться на лошади. Те из нас, у кого они все-таки есть, могут смотреть в лицо другого человека и видеть множество разных историй; для всех остальных лицо так и останется только лицом.

[30] Количество букв в английском алфавите.

И знаете, я только что использовал точку с запятой, которой строго-настрого запретил вам пользоваться. Это я говорю для того, чтобы обратить ваше внимание на то, что я сам это делаю. Любое правило действует в определенных рамках, даже если это самое лучшее правило.

*

Вы спросите, кто был самым мудрым человеком из всех, кого я встречал в своей жизни? Это был мужчина, хотя, как вы понимаете, это вовсе не очевидно и совсем не обязательно. Я говорю о художнике-графике Соле Стейнберге, ныне покойном, как и все остальные, кого я знал. Я мог спросить его о чем угодно, и ровно через шесть секунд он выдавал идеальный ответ — громко, раскатисто, почти грубо. Он был родом из Румынии. Его детство прошло в доме, где, по его собственным словам, гуси заглядывали в окна.

Я спрашивал его: «Сол, как мне относиться к Пикассо?»

Шесть секунд — и он отвечал: «Бог послал его на Землю, чтобы показать всем нам, что значит быть по-настоящему БОГатым».

Я спрашивал: «Сол, я писатель. Многие из моих друзей тоже писатели, и некоторые из них — неплохие. Но каждый раз, когда мы разговариваем, мы разговариваем на разных языках, будто занимаемся совершенно разными вещами. Почему так происходит?»

Шесть секунд — и он отвечал: «Все очень просто. Творческие люди бывают двух сортов. Это вовсе не значит, что одни лучше других. Просто одни своим творчеством откликаются на события своей личной истории, а другие — на жизнь в целом».

Я спрашивал: «Сол, ты одаренный человек?»

Шесть секунд — и словно гром среди ясного неба раздавался его рык: «Нет! Несмотря на то что мое творчество тебя трогает. То, что вызывает отклик в твоей душе, — это борьба художника со своими ограничениями».

82 AS OF
11/11/04

Агентство «Сааб Кейп-Код»
Трасса 6А, Западный Барнстейбл, Массачусетс
Форест 2-6161, 2-3072
Курт Воннегут, управляющий

Продажа, комплектующие и ремонт
шведских автомобилей «сааб».

РЕКВИЕМ

Распятая планетка, жалкая Земля,
Будь голос у нее,
Будь ей ирония присуща,
Хлестнула б человечество:
«Прости их, Отец,
Ибо не ведают, что творят».

Вот в чем ирония:
Мы ведаем отлично,
Что творим.

Когда ж последняя тварь божья
Умрет по нашей воле,
Вообразим финал донельзя поэтичный:
Земли глубокий глас
(со дна Великого Каньона, скажем)
звучит: «Все кончено».
Не подошло тут людям.

MY
FATHER SAID,
"WHEN IN DOUBT,
CASTLE."

Kurt Vonnegut (signature)

Мой отец говорил:
«Когда кажется, креститься надо!»

ОТ АВТОРА

Высказывания, помещенные на отдельных страницах, на которые вы периодически наталкивались в этой книге, можно, если хотите, вставить в рамочку. Эти картины являются продуктами производства «Оригами Экспресс», делового партнерского предприятия, созданного мной и Джо Петро Третьим, со штаб-квартирой в художественной шелкотрафаретной студии Джо в Лексингтоне, штат Кентукки. Я рисую или пишу картины, а Джо делает отпечатки некоторых из них — один за одним, цвет в цвет — специальным скребком нанося на бумагу краски через ткань. Это весьма трудоемкий метод, можно сказать архаичный, потому что сегодня им почти никто не пользуется. Очень кропотливая работа, знаете ли, требующая хорошо развитых тактильных навыков. Почти как балет. Так что каждый отпечаток, сделанный Джо, уже сам по себе является произведением искусства.

Само название «Оригами Экспресс» является моим вкладом в наше партнерское предприятие, бо́льшую часть работы в котором выполняет Джо, взваливший на себя печать целых кип рисунков, с которых он снимает оттиски и отправляет мне, чтобы я поставил на них подпись и дату. Наш логотип, отпечатанный Джо, в отличие от тех рисунков, которые я ему посылаю, взят из моего романа «Завтрак для чемпионов»[31]. Это летящая вниз бомба с надписью:

ПРОЩАЙ,
ЧЕРНЫЙ
ПОНЕДЕЛЬНИК

Должно быть, я один из самых везучих людей на свете, потому что уже на протяжении восьми десятков и двух лет мне удается выживать. Даже не хочу начинать считать, сколько уже раз я должен был умереть или желал, чтобы это случилось. Но одним из лучших событий в моей жизни стала моя встреча с Джо, который спас мне жизнь. Это был тот самый шанс, который выпадает одному на миллион. Мгновения чистого, ничем не омраченного наслаждения.

А дело было так: 1 ноября 1993 года, то есть почти одиннадцать лет назад, у меня была запланирована лекция в Мидвэй-Колледже — женской гимназии на окраине Лексингтона. Довольно задолго до моего приезда кентуккский художник Джо Петро Третий,

---

[31] Полное название романа: «Завтрак для чемпионов, или Прощай, черный понедельник», 1973.

сын кентуккского художника Джо Петро Второго, попросил меня прислать ему свой черно-белый автопортрет, который он мог бы использовать для того, чтобы при помощи шелковых трафаретов изготовить постеры для гимназии. Так и получилось. Джо было тогда тридцать семь, а я и подавно был мужчиной в самом расцвете сил, всего семидесяти одного года от роду — а значит, старше его даже меньше чем в два раза.

Когда я приехал к нему, чтобы пообщаться, то пришел в восторг от постеров. Я также выяснил, что сам он писал романтические, но абсолютно точные с научной точки зрения картины живой природы, с которых впоследствии делал отпечатки при помощи шелковых трафаретов. В студенческие годы он специализировался на зоологии в университете Теннесси. И некоторые из его картин действительно были настолько трогательными и в то же время информативными, что использовались в пропаганде движения Гринпис — организации, пытающейся (пока, правда, с весьма скромными результатами) остановить истребление видов на нашей планете, в том числе нашего собственного, истребление, вызванное образом жизни, который мы ведем. Демонстрируя мне свои работы и постеры, сделанные с моего рисунка, Джо на самом деле хотел сказать: «Почему бы нам и дальше не работать вместе?»

Так что мы решили не останавливаться. И сейчас, когда я вспоминаю этот миг, мне кажется, что Джо Петро Третий спас мне жизнь. Это невозможно объяснить. Лучше я просто расскажу дальше.

С тех пор мы выпустили более двух сотен различных изображений (каждое в десяти или более отпечатках), подкорректированных Джо и подписанных мною. Образцы, представленные в этой книге, не могут дать полного представления о нашей совместной деятельности — это просто последние работы. Бóльшая часть наших произведений — мои «версии» картин Пауля Клее[32], Марселя Дюшана[33] и других.

С тех пор как мы познакомились, Джо успел подначить и других людей, чтобы они тоже посылали ему свои рисунки и он мог снимать с них отпечатки, которые он так обожает делать. Среди них — комик Джонатан Уинтерс, в давние времена бывший студентом художественного факультета, и английский художник Ральф Стэдмен, к числу достижений которого относятся душераздирающие иллюстрации к произведению Хантера Томпсона «Страх и ненависть в Лас-Вегасе». Кстати говоря, мы со Стэдменом познакомились именно благодаря Джо.

[32] Швейцарский художник, экспрессионист, сюрреалист (1879—1940). — *Примеч. ред.*
[33] Французский художник, сюрреалист, дадаист (1877—1968). — *Примеч. ред.*

В июле 2004 года Джо организовал выставку в художественной галерее Индианаполиса — города, в котором я родился. Помимо наших работ там также были выставлены: одно полотно моего деда Бернарда Воннегута, который был художником и архитектором, два полотна моего отца, тоже художника и архитектора, Курта Воннегута и по шесть работ моей дочери Эдит и сына Марка, того самого, который работает врачом.

Ральф Стэдмен, узнавший об этой «семейной» выставке, послал мне свои поздравления. Я написал ему в ответ: «Джо Петро Третий организовал воссоединение четырех поколений нашей семьи в Индианаполисе, так что теперь мы с тобой двоюродные братья. Может быть, он — сам Господь Бог, как ты думаешь? Одним словом, нам с тобой повезло — он еще не такое может».

Все это, конечно, шутка.

А что вы думаете о наших работах (см. www.vonnegut.com)? Знаете, я как-то спросил ныне покойного (к моему великому сожалению) художника Сида Соломона, который не одно лето подряд был моим соседом на Лонг-Айленд, как отличить хорошую картину от плохой. И он дал мне самый удовлетворительный ответ из всех, которые я когда-либо ожидал услышать. Он сказал: «Следует выбирать не менее чем из миллиона — тогда ты точно не ошибешься».

Я рассказал об этом своей дочери Эдит, тоже профессиональной художнице, и она согласилась, что это неплохая мысль. Она ответила, что сто́ит, наверное, прокатиться на роликах по Лувру, выкрикивая: «Да, нет, нет, да, нет, да» и так далее.

Одобряете?

Храни Вас Бог, доктор Кеворкян!

*Особая благодарность Марти Голденсону
с Общественной радиостанции Нью-Йорка,
оказавшему вашему покорному слуге,
скитавшемуся по Тому свету,
неоценимую помощь в качестве редактора,
воодушевлявшему его
на творческие поиски всякой всячины
и к тому же уговорившему сию радиостанцию
платить автору по доллару за слово,
что не так уж и мало
для столь отдаленного от цивилизации места,
как Рай.*

Введение

Вступительное слово специального корреспондента Общественной радиостанции Нью-Йорка с Того света

Мой первый опыт приближения к смерти был незапланированным: во время тройного аортокоронарного шунтирования анестезиолог дал маху. Я несколько раз слышал, как в телепередачах люди рассказывали, будто они путешествовали по голубому туннелю к райским вратам или даже проходили через сами врата (по крайней мере, по их словам), а потом снова возвращались к жизни. Что касается меня, то я определенно не согласился бы на столь рискованную вылазку, если бы не эта случайность. Мое чудесное спасение побудило меня к эксперименту — я спланировал ряд подобных экспедиций на Тот свет в сотрудничестве с доктором Джеком Кеворкяном и его командой в камере для введения

Храни Вас Бог, доктор Кеворкян!

смертельных инъекций преступникам, приговоренным к высшей мере наказания в Хантсвилле, штат Техас[1].

Собранные здесь «репортажи» были предназначены для последующей трансляции Общественной радиостанцией города Нью-Йорка. Надеюсь, в них еще сохранилась доля непосредственности. Они записывались на пленку в камере смертников, сверху донизу покрытой кафелем, уже через пять минут после того, как меня отвязывали от каталки. Ну или около того. Между прочим, магнитофон, равно как и каталка, являлся собственностью штата Техас и обычно использовался для того, чтобы увековечить последние слова людей, отправляющихся по маршруту «Хантсвилл — Рай» (в один конец, все расходы оплачены).

К настоящему моменту мои вылазки туда и обратно закончены и вряд ли повторятся вновь — если, конечно, не произойдет еще одна случайность. Ради спокойствия моих близких я постараюсь восстановить медицинскую страховку, если это еще возможно. Однако другие журналисты — а может быть, и просто любители путешествий — наверняка воспользуются этим надежным двусторонним сообщением с Вечностью, первооткрывате-

[1] В городе Хантсвилл находится знаменитая тюрьма, где ежегодно казнят наибольшее количество американских преступников, привозимых сюда из разных тюрем. — *Примеч. ред.*

лем которого я являюсь. В целях безопасности я рекомендую всем желающим проводить интервью с расстояния не менее ста метров между концом голубого туннеля и райскими вратами.

Из собственного опыта я почерпнул: пересекать границу райских врат, дабы побеседовать с какой-либо персоной — какой бы заманчивой ни казалась возможность интервью, — означает пойти на риск. Своенравный святой Петр, будучи не в настроении, возьмет да и не выпустит вас назад. Так что подумайте хорошенько — ведь если, войдя в Рай с целью поговорить, скажем, с Наполеоном, вы в результате нечаянно покончите жизнь самоубийством, ваши друзья и родные могут с горя отправиться вслед за вами.

*

Теперь что касается веры или неверия в Загробную жизнь. Некоторым из вас, наверное, известно, что я не христианин, не иудей, не буддист и вообще не религиозный человек в общепринятом смысле этого слова.

Я гуманист, и это, помимо прочего, означает, что я стараюсь вести себя порядочно, не ожидая награды или наказания после смерти. Мои германо-американские предки, обосновавшиеся на Среднем Западе в эпоху нашей Гражданской войны, называли себя

Храни Вас Бог, доктор Кеворкян!

«свободомыслящими», имея в виду то же самое. Так, например, мой прадед Клеменс Воннегут писал: «Если то, что проповедовал Христос, есть благо, то какое имеет значение, был ли он Богом?»

А сам я как-то написал следующее: «Если бы Нагорная проповедь Христа не была посланием во имя сострадания и милосердия, я не хотел бы быть человеком. В таком случае я вполне мог бы родиться гремучей змеей».

Я являюсь почетным председателем Американской гуманистической ассоциации, сменившим на этом по большому счету бесполезном посту покойного доктора Айзека Азимова, выдающегося и очень плодовитого писателя и ученого. На мемориальной церемонии по случаю его смерти я сказал: «Айзек теперь на небесах». Ничего смешнее я придумать не смог. Мои коллеги-гуманисты чуть животы себе не надорвали. Умора! Несколько минут потребовалось, чтобы восстановить хоть какое-то подобие торжественности.

Эту шутку я, разумеется, выдал еще до своего первого опыта приближения к смерти — того, что был случайным.

Так что надеюсь, что, когда мне самому настанет черед присоединиться к хору ангелов или чему бы там ни было (Боже упаси, конечно), кто-нибудь не растеряется и скажет: «Он теперь на небесах». Кто знает? Может, все это мне и вовсе приснилось.

Выбрал ли я себе эпитафию? Напишите так: «Все было чудесно и совсем не больно». Чем бы это ни было, я, признаться, легко отделался.

*

Не располагая достоверной информацией о каком бы то ни было Боге, гуманисты довольствуются тем, что по мере сил служат единственной абстракции, о которой у них есть хоть какое-то представление: своим ближним. Впрочем, для этого им совсем не обязательно вступать в Американскую гуманистическую ассоциацию.

Да, и еще: эта книга моих бесед с покойными создавалась в надежде выручить немного денег. Только не подумайте, что с целью личной наживы. Я хотел помочь Общественной радиостанции города Нью-Йорка, которая располагается в центре Манхэттена и дает пищу для размышлений своим и моим ближним, поскольку делает то, чего ни одна коммерческая радио- или телекомпания уже не может себе позволить. А именно: работает в соответствии с неотъемлемым правом каждого человека *знать*, отчетливо выделяясь на фоне столь распространенной раболепной тенденции публицистов и рекламодателей предлагать публике лишь пустые развлечения и никчемные увеселения.

Храни Вас Бог, доктор Кеворкян!

В то время как многих сотрудников этой радиостанции вполне удовлетворяют традиционные религии, коллективный эффект, который они производят на свою аудиторию, есть не что иное, как гуманизм — идеал настолько приземленный и далекий от чего-то сверхъестественного, что я никогда не пишу его с большой буквы. Слово «гуманизм» в том смысле, в каком я его употребляю, не означает ничего запредельного и является всего лишь удобным синонимом «элементарной порядочности и соблюдения норм общежития».

*

Я желаю всем и каждому долгой и счастливой жизни, что бы с вами ни случилось потом. Не забывайте пользоваться солнцезащитным кремом! И не курите сигарет.

Сигары же, напротив, полезны для здоровья. Есть даже целый журнал, восхваляющий сигары, — с моделями атлетического телосложения, популярными актерами, толстосумами и их молодыми женами на обложках. Все они в полном восторге от сигар. Так почему бы в следующий раз не снять для обложки главного врача государственной службы здравоохранения США? Ведь сигары делаются из смеси толченых орехов кешью, гранолы и изюма, вымоченной в кленовом сиропе и высушенной на солнце. Так, может, съесть сегодня парочку на сон грядущий?

В оружии тоже нет ничего плохого. Спросите Чарльтона Хестона, которому довелось однажды сыграть роль Моисея[2]. В порохе нет ни грамма жира и ни одного процента холестерина. То же относится и к разрывным пулям. Спросите своего сенатора или сенаторшу, или представителя в Конгрессе, насколько полезны для здоровья оружие и сигары.

*

Мой покойный дядя Алекс Воннегут, младший брат моего отца, начитанный и умный джентльмен с гарвардским дипломом, работавший страховым агентом в Индианаполисе, тоже был гуманистом. Как и все остальные в семье. Одним из самых поразительных человеческих качеств для дяди Алекса всегда было то, что люди в массе своей необычайно редко замечают, что счастливы.

Сам же он всегда обращал внимание на неповторимые мгновения счастья. В летнюю жару, потягивая лимонад в тени яблоневых деревьев в кругу семьи, дядя Алекс мог прямо посреди беседы вставить: «Ну разве это не чудесно?»

---

[2] Имеется в виду фильм режиссера Сесила Б. Де Милля «Десять заповедей». — *Примеч. ред.*

Теперь я и сам произношу эту фразу в моменты беспечного и столь естественного блаженства: «Ну разве это не чудесно?» Возможно, эта семейная реликвия, доставшаяся мне от дяди Алекса, теперь пригодится кому-нибудь еще. Мне она действительно помогает не забывать, как все обстоит на самом деле.

*

Ну что ж, хватит о серьезном, теперь побеседуем о сексе. О женщинах. Фрейд сказал, что не знает, чего хотят женщины. Как ни странно, я знаю это совершенно точно. Они хотят, чтобы у них всегда было с кем поговорить. О чем же они хотят разговаривать? Они хотят разговаривать обо всем.

А чего хотят мужчины? Они хотят, чтобы у них была куча приятелей и чтобы к ним предъявляли поменьше претензий.

Почему сегодня столько людей разводятся? Все потому, что мало кто из нас нынче может похвастаться большой семьей. Раньше, когда мужчина и женщина вступали в брак, невеста получала значительное пополнение списка людей, с которыми можно болтать обо всем на свете, а жених в свою очередь получал еще большее число приятелей, которым можно рассказывать тупые анекдоты.

Некоторые американцы (хотя, прямо скажем, очень немногие) до сих пор живут большими семьями. Например, навахо. Или Кеннеди.

Но чаще всего, если мы вступаем сегодня в брак, то каждый из нас может предложить своей второй половине одного лишь себя. Жених получает всего одного приятеля, да и тот — женщина. А невеста получает только одного человека, с которым можно было бы болтать обо всем на свете, но это мужчина.

Когда супруги начинают ссориться, им кажется, что это из-за денег, или власти, или секса, или воспитания детей, или чего угодно еще. Но на самом деле они, сами того не сознавая, говорят друг другу: «Мне мало тебя одного!»

Однажды в Нигерии я встретил человека из племени ибо, который довольно близко знал шесть сотен своих родственников. Его жена только что родила ребенка — не это ли самая лучшая новость в любой большой семье?

И они как раз собирались познакомить дитя с его родней — ибо всех возрастов, форм и размеров. Ему предстояло увидеть всех, даже других младенцев, немногим старше него самого. Каждый, кто был достаточно взрослым и твердо стоял на ногах, собирался подержать его на руках, понянчиться с ним, поагукать и сказать, какой он хорошенький. Или хорошенькая.

Разве бы вы не хотели оказаться на месте этого ребенка?

*

Это бессвязное вступление оказалось в четыре раза длиннее самого эффектного и результативного выступления в истории англоговорящего мира, которым было обращение Линкольна к своим солдатам на поле битвы при Геттисберге.

Линкольна застрелил второсортный актер, использовавший свое конституционное право на ношение оружия. Так же как Айзек Азимов и дядя Алекс, Линкольн теперь на небесах.

*

Итак, с вами был **Курт Воннегут**, бывший специальный корреспондент Общественной радиостанции города Нью-Йорка в Загробном мире, ныне завершивший свою деятельность на этом поприще.

Пока-пока и adios. Или, как сказал святой Петр, лукаво подмигнув, в ответ на мое заявление, что это, мол, мое последнее путешествие в Рай и обратно: «Бог даст, еще увидимся».

К. В.
8 НОЯБРЯ 1998 ГОДА И 15 МАЯ 1999 ГОДА.

В РЕЗУЛЬТАТЕ МОЕГО ЭКСПЕРИМЕНТА, состоявшегося этим утром, мне удалось выяснить, что же происходит с теми, кто умирает еще в младенческом возрасте. Это открытие я сделал совершено случайно после того, как пролетел по голубому туннелю, намереваясь взять интервью у доктора Мэри Д. Эйнсворт, скончавшейся двадцать первого марта в возрасте восьмидесяти пяти лет в Шарлоттсвилле, штат Вирджиния. Она была детским психологом, вышла на пенсию, но оставалась энергичной до самой кончины.

Экстравагантный некролог, восхвалявший доктора Эйнсворт в «Нью-Йорк Таймс», гласил, что никто не сделал больше, чем она, для изучения долгосрочного характера взаимодействия матери и ребенка на первом году его жизни, а также последствий отсутствия такового. И что она занималась исследованием поведения детей-сирот в Лондоне, изучала всевозможные проявления материнской заботы и ее отсутствия в Уганде, а затем и здесь, в Соединенных Штатах.

На основании впечатляющих научных доказательств она сделала вывод о том, что дети нуждаются в тесном контакте с матерью в начале жизни, чтобы преуспеть в дальнейшем. В противном случае их будет вечно что-то тревожить.

Мне хотелось услышать от нее о соотношении биологического и социального в развитии ребенка, а также о том, хорошо ли заботилась обо мне моя собственная мать, когда я был новорожденным, — если, конечно, это не отнимет слишком много ее драгоценного времени.

Но доктор Эйнсворт восторженно фонтанировала на тему того, как чудесно ее теория подтверждается в Раю. И к черту славу в психологических кругах и все награды, заслуженные на земле. Оказывается, и в Раю есть ясли и детские сады — для тех, кто умер в детстве. С маленькими душами как ненормальные носятся суррогатные матери-добровольцы или настоящие матери, если они тоже умерли. Прижимают, обнимают, тискают. И целуют, целуют, целуют. Тише, маленький, не плачь. Мамочка рядом. Мамочка тебя любит. Сейчас срыгнешь, и все пройдет. А ну-ка... Вот так! Теперь легче? Давай-ка баиньки. У-тю-тю.

И из детей вырастают ангелы. А вы думали, откуда они берутся?

Это был Курт Воннегут с репортажем из камеры для введения смертельных инъекций в Хантсвилле, штат Техас. До следующего выпуска, у-тю-тю и пока-пока.

ЭТИМ УТРОМ, БЛАГОДАРЯ СПЕЦИАЛЬНО ОРГАНИЗОВАННОМУ эксперименту по приближению к смерти, мне посчастливилось встретить у конца голубого туннеля человека по имени Сальваторе Бьяджини. Восьмого июля сего года мистер Бьяджини, строитель на пенсии, скончался в возрасте семидесяти лет, в Квинсе, в результате сердечного приступа при попытке спасти своего любимого шнауцера Тедди от нападения бешеной питбультерьерши по кличке Шиль.

Питбульша, никогда дотоле не проявлявшая агрессии в отношении человека и других живых существ, перемахнула почти полутораметровую ограду, чтобы напасть на Тедди. Безоружный мистер Бьяджини, человек с больным сердцем, навалился на нее, дав возможность своему шнауцеру убежать. В ответ сучка прихватила мистера Бьяджини в нескольких местах, отчего сердце последнего не выдержало и остановилось, чтобы не биться больше никогда.

Я спросил этого героического любителя животных, каково это — умереть за шнауцера по кличке Тедди. Сальваторе Бьяджини ответил мне философски. Он сказал, что это уж точно лучше, чем ни за что ни про что оставить свои кишки в джунглях Вьетнама.

ПОСЛЕ СЕГОДНЯШНЕГО УТРЕННЕГО путешествия в Загробную жизнь мое сердце буквально обливается кровью, из-за того что в Рай и обратно через голубой туннель невозможно пронести диктофон. Никогда раньше духовой оркестр под руководством покойного Луи Армстронга, играющий джаз в нью-орлеанском стиле, не приветствовал вновь прибывшего великолепным исполнением «Когда святые маршируют». Скончавшимся, которому была оказана столь исключительная и высокая честь, выпадающая, как мне сказали, на долю лишь одного из десяти миллионов свежеумерших, оказался австралийский абориген-полукровка по имени Бирнум Бирнум.

Когда в девятнадцатом столетии белые поселенцы прибыли в Австралию, а также соседнюю с ней Тасманию, они застали у аборигенов наиболее простую и примитивную форму культуры из всех известных на земле на тот момент. И сочли их безмозглым и бездушным сбродом паразитов, находящимся примерно на одной ступени развития с крысами. Их отстреливали, их травили. Лишь в 1967 году — можно сказать, позавчера — оставшимся в живых аборигенам Австралии было пожаловано гражданство. И все благодаря демонстрациям, которые возглавил Бирнум Бирнум, первый абориген, поступивший в юридический колледж.

Среди аборигенов Тасмании в живых не осталось никого. Я попросил Бирнума Бирнума коротко прокомментировать этот факт для наших радиослушателей. Он ответил, что тасманцы пали жертвами единственного в истории геноцида, оказавшегося успешным на все сто процентов. А Луи Армстронг, вмешавшийся в наш разговор, добавил, что они отнюдь не уступали умом и талантами любым другим людям, которым при жизни достались хорошие учителя. Двое музыкантов из его нынешнего оркестра тоже тасманцы. Один играет на кларнете, а другой виртуозно владеет самодельным однострунным контрабасом и тромбоном.

Это был Курт Воннегут, ваш специальный корреспондент с Того света.

ОРГАНИЗОВАННЫЙ СЕГОДНЯ ЭКСПЕРИМЕНТ был просто прелесть! Мне удалось взять интервью у Джона Брауна, чей прах давно лежит в сырой земле, но «правды чьей по-прежнему звучит победный марш»[3]. Сто сорок лет назад, 2 октября, он был повешен за измену Соединенным Штатам Америки. Во главе отряда, состоящего всего из восемнадцати таких же, как и он сам, фанатиков отмены рабства, он захватил фактически неохраняемый федеральный оружейный склад в Харперс-Ферри, штат Вирджиния. В чем состоял его план? Раздать оружие рабам, чтобы они собственными руками низвергли своих господ. Самоубийство чистой воды.

Законопослушные граждане открыли огонь со всех сторон, уложив восьмерых из его людей, в том числе двух сыновей Брауна. Сам

<hr>

[3] Из хоровой партии «Боевого гимна Республики». — *Здесь и далее, кроме особо отмеченных случаев, примеч. пер.*

он был захвачен в плен морскими пехотинцами, присягнувшими защищать Конституцию. Командовал ими полковник Роберт Э. Ли.

На небесах Джон Браун носит вместо галстука петлю. Я спросил было о ней, но он лишь удивился в ответ:

— А твоя-то где? Где твоя?

Глаза его горели, словно пара угольков.

— Без кровопролития, — произнес он, — нет отпущения грехов.

Как выяснилось, это слова из Нового Завета (Евр. 9:22).

Я похвалил его за высказывание, сделанное по пути к виселице перед ликующей и глумящейся толпой белых соплеменников. Цитирую: «Это прекрасная страна». Каким-то непостижимым образом ему удалось вместить в эти три слова весь ужас самого отвратительного из узаконенных зверств, совершенных цивилизованной нацией до холокоста.

— Рабство было санкционировано американским законодательством, — сказал он. И добавил: — А холокост — немецким.

Джон Браун — янки из Торрингтона, что в Коннектикуте. Он заявил, что ему достоверно известно: одному уроженцу Вирджинии, Томасу Джефферсону, удалось вместить Бога всего в четыре слова: «Все люди сотворены равными».

Брауну было двадцать, когда умер Джефферсон.

— Этот безупречный джентльмен, такой образованный, такой искушенный и сведущий в разного рода делах, — говорил Джон Браун, — умудрился написать эти несравненные, священные слова, будучи рабовладельцем. А теперь ответь мне на вопрос: неужели я — единственный, кто отдает себе отчет в том, что он с самого начала своим собственным примером превратил нашу прекрасную страну в пристанище порока, где пресмыкательство цветных перед белыми мыслилось в совершенной гармонии с естественным правом?

— Если я правильно понимаю, — переспросил я, — вы утверждаете, что Томас Джефферсон — наверное, самый почитаемый из отцов-основателей этой страны человек после Джорджа Вашингтона — был не слишком-то нравственен?

— И пусть от тела в сырой земле остался только прах, я торжествую: «моей правды по-прежнему звучит победный марш», — ответил он.

На этом разрешите поставить точку. С вами был Курт Воннегут, из камеры для введения смертельных инъекций в Хантсвилле, штат Техас. До новых встреч, пока-пока.

ВО ВРЕМЯ ВЧЕРАШНЕГО КОНТРОЛИРУЕ-
МОГО эксперимента по приближению к смерти сразу за райскими вратами я разболтался
с Робертой Горсач Берк, семьдесят два года
назад вышедшей замуж за Арли А. Берка, будущего адмирала, командующего американским флотом с 1955 по 1961 год. Именно под
его чутким руководством военно-морские
силы встретили ядерную эру.

Скончалась Роберта Берк в июле этого
года в возрасте девяноста восьми лет. Адми-
рал Берк (бывший к тому моменту, конечно
же, давно в отставке) умер годом раньше
в возрасте девяноста девяти. Они познакомились на «свидании вслепую» в 1919 году, когда
он был на первом курсе военно-морской ака-
демии. На том свидании она буквально в последнюю секунду подменила свою старшую се-
стру. Судьба.

Они поженились четыре года спустя. Если
прошлый опыт имеет хоть какое-то значение,

они останутся мужем и женой по ту сторону голубого туннеля на веки вечные. Навсегда. «Какой смысл таскаться по мужикам?» — сказала мне Роберта. На похоронах ее мужа, когда ей оставался еще целый год жизни, президент Клинтон обратился к ней со словами: «Вы с честью служили Америке, подавая пример не только нынешним женам морских офицеров или тем, кто станет ими в будущем, но и всей нации в целом».

Эпитафию для своего надгробного камня тут, на земле, Роберта Берк выбрала простую: «Жена моряка».

И ВОТ В КОТОРЫЙ РАЗ ДОКТОР ДЖЕК КЕВОРКЯН отвязывает меня от каталки, уже ставшей моей персональной, — здесь, в камере для введения смертельных инъекций в Хантсвилле, штат Техас. На сегодняшний день под его недремлющим оком было проведено пятнадцать экспериментов по приближению к смерти с моим участием. Так держать, Джек! Этим утром на том конце голубого туннеля, у райских врат, меня разыскивал Кларенс Дэрроу, величайший американский адвокат, шестьдесят лет как покойный. Он хотел поделиться со слушателями Общественной радиостанции Нью-Йорка своим мнением по поводу появления телевизионных камер в залах суда. И представьте себе, он сказал: «Одобряю это начинание». Человек с репутацией гиганта мысли родом из крохотного, Богом забытого фермерского городишки в Огайо.

— Присутствие телевизионщиков окончательно убеждает нас в том, — объяснял он мне, — что система так называемого «правосудия», когда и где бы оно ни осуществлялось, заботится о чем угодно, только не о торжестве справедливости. Подобно гладиаторским боям, для бесчувственной государственной машины (а никаких иных правительств не существует) система правосудия представляет собой всего лишь очередное развлечение, где ставкой является человеческая жизнь.

Я поблагодарил мистера Дэрроу за то, что своими красноречивыми выступлениями в суде в защиту первых организаторов профсоюзов и проповедников непопулярных научных истин, своим громогласным презрением к расизму и ненавистью к смертной казни он сделал американскую историю куда более человечной, чем она могла бы быть. На что покойный великий адвокат Кларенс Дэрроу ответил мне лишь одно: «Развлекал как мог».

Засим разрешите откланяться. Эй, Джек, может, махнем в центр, набьем животы старой доброй техасско-мексиканской стряпней?

В ТЕЧЕНИЕ УЖЕ ПОЧТИ ЦЕЛОГО ГОДА я встречаюсь с совершенно мертвыми людьми (хотя сам я при этом только наполовину труп) с целью взять у них интервью. Все это время я то и дело просил святого Петра о встрече с вполне конкретным человеком — моим героем. Это мой земляк, покойный Юджин Виктор Дебс из Терре-Хот, штат Индиана. Он пять раз выдвигался в качестве кандидата в президенты от Социалистической партии — еще в те времена, когда в этой стране социалисты были реальной силой.

И вот вчера после обеда на том конце голубого туннеля меня ждал не кто иной, как Юджин Виктор Дебс, организатор и лидер первой успешной забастовки в такой крупной отрасли американской индустрии, как железные дороги. Дотоле нам не доводилось встречаться. Этот выдающийся американец умер, будучи семидесяти одного года от роду, в 1926 году. Мне в ту пору было всего четыре.

Я поблагодарил его за слова, которые я неустанно цитирую в своих речах: «До тех пор пока существует низший класс, я — его представитель. До тех пор пока не перевелись преступники, я — один из них. До тех пор пока хоть одна душа томится за решеткой, я не чувствую себя свободным».

Он поинтересовался, как же эти слова воспринимаются здесь, на земле, в Соединенных Штатах, в наше время. Я ответил, что каждый раз меня поднимают на смех.

— Люди усмехаются и фыркают, — сказал я.

Он спросил, какая отрасль промышленности развивается у нас быстрее всего.

— Строительство тюрем, — признался я.

— Позор! — воскликнул он. Затем он справился, знакома ли кому-нибудь в наши дни Нагорная проповедь. А потом расправил крылья и улетел.

С ВАМИ КУРТ ВОННЕГУТ. Сегодня утром во время контролируемого эксперимента по приближению к смерти я завтракал с Гарольдом Эпштейном, недавно скончавшимся в своем поместье в Ларчмонте, площадью в полтора акра. Умер он от того, что иначе как естественными причинами не назовешь, учитывая, что ему стукнуло девяносто четыре года. Этот милый человек был бухгалтером, а после сердечного приступа, случившегося тридцать четыре года назад, вместе со своей прелестной женой Эстой посвятил себя тому, что он сам называет «садовой лихорадкой».

Эста все еще среди нас, и, надеюсь, она меня слышит. Эти двое влюбленных, Гарольд и Эста Эпштейн, четыре раза обогнули земной шар, разыскивая — порой весьма успешно — новые замечательные растения для американских садов, хотя ни один из них не был дипломированным садоводом.

К тому моменту, когда душа Гарольда обменяла отслужившую земную плоть на небесную, он числился почетным председателем Американского общества садоводов, Нью-Йоркского общества любителей орхидей и Северо-Восточного отделения Американского общества любителей рододендронов.

Я попросил его вкратце описать свою жизнь после упомянутого сердечного приступа, чтобы я мог затем рассказать о ней нашим радиослушателям. Он сказал: «Я жалею лишь о том, что не все люди так же счастливы, как были мы». По словам покойного Гарольда Эпштейна, первое, что он сделал, очутившись в Раю и сорвав цветок, которого он никогда прежде не видел, это вознес хвалу Богу за бесценный дар, которым Всевышний наградил его, — «садовую лихорадку».

МЫ С ДЖЕКОМ КЕВОРКЯНОМ ДУМАЛИ, что предусмотрели все возможные опасности, подстерегающие меня во время наших экспериментов. Однако сегодня я влюбился в мертвую женщину! Ее зовут Вивьен Хэллинан.

Желание встретиться с ней у меня возникло после прочтения одного-единственного слова в заголовке ее некролога в «Нью-Йорк Таймс»: «Вивьен Хэллинан, восьмидесяти восьми лет, представительница старшего поколения колоритного семейства с Западного побережья». Что, интересно, делает человека или, более того, целое семейство — «колоритным»? На Том свете мне доводилось брать интервью у людей выдающихся, влиятельных, бесстрашных, харизматических и каких угодно еще. Но что же, черт побери, имелось в виду под словом «колоритный»? Сами собой напрашивались два возможных синонима: «необычный» и «пикантный».

Теперь-то я понимаю, о чем шла речь в «Нью-Йорк Таймс». Слово «колоритный» используется у них для описания людей невероятно привлекательных, с отличной фигурой, богатых — и при том социалистов.

Наверное, стоит рассказать об этом поколоритнее? Покойный муж Вивьен, Винсент Хэллинан, будучи юристом, заработал кучу бабок на торговле недвижимостью и в 1952 году решил баллотироваться ни много ни мало в президенты Соединенных Штатов от Прогрессивной партии. Насколько же необычной и пикантной личностью надо для этого быть, даже в Калифорнии!

Или вот еще. В самый разгар эры Маккарти Винсент рьяно защищал профсоюзного лидера Гарри Бриджеса, обвинявшегося тогда в принадлежности к коммунистам. И загремел за это на полгода в тюрьму. Вивьен также провела месяц за решеткой за неподобающее женщине поведение во время демонстрации за гражданские права в 1964 году.

Подобных примеров в их жизни можно найти предостаточно. На той демонстрации вместе с Вивьен были все пять ее сыновей, причем один из них, Терренс, работает сейчас окружным прокурором Сан-Франциско!

В Раю можно выбрать себе возраст по желанию. Моему отцу, например, всего девять. Вивьен Хэллинан предпочла стать навсегда двадцатичетырехлетней и выглядит сногсшибательно! Я спросил, как она относится к тому, что ее назвали «колоритной».

Она ответила, что предпочла бы, чтобы ее именовали так же, как Франклина Д. Рузвельта — его враги: предателем своего класса.

ТОЛЬКО ЧТО ДОКТОР КЕВОРКЯН вновь отстегнул меня от каталки после очередного путешествия на Тот свет и обратно. В этот раз мне посчастливилось взять интервью — у кого бы вы думали? Ни у кого иного, как у покойного Адольфа Гитлера.

Я не без удовлетворения выяснил, что сейчас он испытывает угрызения совести и раскаивается в своих действиях, прямо или косвенно повлекших за собой насильственную смерть тридцати пяти миллионов человек во время Второй мировой войны. Сам он вместе со своей любовницей Евой Браун, разумеется, тоже включен в число жертв наравне с четырьмя миллионами других жителей Германии, шестью миллионами евреев, восемнадцатью миллионами граждан Советского Союза и т. д.

«Как и все остальные, я получил по заслугам», — признался он. И выразил робкую надежду на то, что в память о нем будет воздвигнут скромный памятник, например в форме креста, раз уж он был христианином. Допустим, где-нибудь перед штаб-квартирой ООН в Нью-Йорке. На нем должны быть высечены, сказал он, его имя и даты жизни: 1889—1945 годы. А под ними — два слова по-немецки: «Entschuldigen Sie».

Перевести эти слова можно приблизительно так: «Извиняюсь».

ВО ВРЕМЯ СЕГОДНЯШНЕГО ЭКСПЕРИМЕН-ТА я говорил с Джоном Уэсли Джойсом, бывшим полицейским, футбольным игроком низшей лиги и владельцем бара «Львиная голова» в Гринвич-виллидж с 1966 по 1996 год (когда этот бизнес окончательно прогорел), скончавшимся в возрасте шестидесяти пяти лет. Его заведение славилось на всю страну как самая популярная забегаловка для писателей, которые были не в состоянии перестать закладывать за воротник и без умолку болтать. Один шутник даже назвал клиентуру бара «пьянчуги с ярковыраженной графоманией».

Покойный мистер Джойс сообщил, что это писатели превратили его заведение в клуб по интересам, а лично ему это было совсем не по душе. Он сказал, что даже установил в нем музыкальный автомат в надежде, что это послужит препятствием их болтовне. Но им все было нипочем. «Они просто стали трепаться еще громче», — вздохнул он.

Курт Воннегут

ПЕРЕДАЕТ КУРТ ВОННЕГУТ, специальный корреспондент Общественной радиостанции города Нью-Йорка в Загробной жизни. Во время вчерашнего эксперимента я имел удовольствие побеседовать с Фрэнсис Кин, квалифицированным специалистом по романской филологии и детской писательницей, скончавшейся от рака поджелудочной железы 26 июня сего года в возрасте восьмидесяти пяти лет. Хвалебный в целом некролог, размещенный в «Нью-Йорк Таймс» по случаю ее кончины, убивал наповал своей последней фразой: «Все три брака покойной закончились разводами». Я поинтересовался ее мнением на этот счет, но она лишь пожала плечами и ответила на трех романских языках.

— Así es la vida, — сказала она по-испански.

— C'è la vita, — повторила она по-итальянски.

— C'est la vie, — подытожила она по-французски.

А в заключение добавила:

— Шел бы ты отсюда!

ВО ВРЕМЯ ЭКСПЕРИМЕНТОВ ПО ПРИ-
БЛИЖЕНИЮ К СМЕРТИ мне доводилось
встречать покойного сэра Исаака Ньютона,
скончавшегося в 1727 году, столь же часто,
как святого Петра. Оба они околачиваются
на том конце голубого туннеля в Загробную
жизнь. Святому Петру иначе и не положено:
это его работа. А сэр Исаак торчит там из-за
своего ненасытного любопытства относительно того, что же такое голубой туннель и
как он устроен.

Оказывается, Ньютон совершенно не
удовлетворен тем, что за восемьдесят пять
лет своего пребывания на Земле изобрел раз-
ные системы исчисления, сформулировал и
рассчитал законы тяготения, движения и
оптики, спроектировал первый зеркальный
телескоп. Он не может простить себе, что
оставил Дарвину разработку теории эволюции, Пастеру — теории микроорганизмов,
а Эйнштейну — теории относительности.

Храни Вас Бог, доктор Кеворкян!

— Надо было быть слепоглухонемым, чтобы не открыть всего этого самому, — пожаловался он мне. — Что может быть очевиднее!

Смысл моих путешествий на Тот свет — в том, чтобы брать интервью у мертвых людей для Общественной радиостанции Нью-Йорка. Это моя работа. Однако сэр Исаак Ньютон, вместо того чтобы отвечать на мои вопросы, завалил меня своими. Ведь ему довелось пройти через голубой туннель только один раз. Поэтому он взялся расспрашивать, из чего, по моему мнению, он сделан — из ткани, металла, дерева или чего-то еще. Я ответил, что туннель, по всей видимости, сделан из того же, из чего сделаны сны — чем бы эта материя ни являлась. Но мой ответ его совершенно не удовлетворил.

Святой Петр процитировал ему Шекспира: «Есть многое на свете, друг Горацио, что и не снилось нашим мудрецам».

ТОЛЬКО ЧТО Я ОБЩАЛСЯ с Питером Пеллегрино, скончавшимся 26 марта сего года в возрасте восьмидесяти двух лет у себя дома, в Ньютауне, штат Пенсильвания. Мистер Пеллегрино основал Американскую федерацию воздухоплавания и стал первым американцем, пересекшим Альпы на воздушном шаре. Он также являлся председателем комиссии по регистрации рекордов воздухоплавания при Национальной ассоциации аэронавтики и пилотом-испытателем Федерального авиационного агентства.

Он поинтересовался, доводилось ли мне летать на воздушном шаре, и я ответил, что нет. Дело было по эту сторону райских врат. Внутрь меня больше не пускают. Святой Петр пригрозил, что если я попробую войти, то так и останусь сторожить их вместо него.

Святой Петр разъяснил Пеллегрино, что я вовсе не умер, а просто участвую в эксперименте и скоро вновь окажусь в мире живых.

Услышав это, Пеллегрино завопил:

— Приятель, когда вернешься, срочно раздобудь себе где-нибудь баллон пропана и воздушный шар, пока ты взаправду не откинулся, — поверь, только так ты сможешь узнать, что такое настоящий Рай!

Святой Петр запротестовал.

— Мистер Пеллегрино, — сказал он, — то место, где мы с вами находимся, и есть Рай!

— Это слова того, — ответил Пеллегрино, — кто никогда не пересекал Альпы на воздушном шаре!

Тогда святой Петр переключился на меня:

— Если уж на то пошло, пока вы, так сказать, не «откинулись», вы также могли бы написать книгу под названием «Рай и те, кто им недоволен».

А обращаясь к Пеллегрино, он отпарировал (не без иронии, конечно):

— Если бы на земле вам довелось курнуть крэка, поверьте мне, — Рай стал бы для вас нелепым недоразумением.

— Точняк! — согласился Пеллегрино.

Еще будучи ребенком, объяснил Пеллегрино, он знал, что место его в небе, а не на земле (цитирую): «Как рыба, бьющаяся на берегу, знает, что ее место в воде». Поэтому, став достаточно взрослым и самостоятельным, он стал садиться за руль всевозможных летательных аппаратов — от старых военных «Дженни» до транспортных самолетов.

Курт Воннегут

— Но там, наверху, нещадно полосуя небо пропеллерами, загрязняя его выхлопами и терроризируя своим шумом, я чувствовал себя словно захватчик, понимаешь, старина, как чужак, — продолжал он. — Мне было тридцать пять, когда я впервые отправился в небо на воздушном шаре. Моя мечта сбылась. Это был настоящий Рай, хотя я все еще был жив. Я слился с небом, друг.

С вами был Курт Воннегут с репортажем из тюрьмы штата Техас в Хантсвилле. Материал подготовлен при технической поддержке доктора Джека Кеворкяна. До следующего раза, пока-пока.

В ПОИСКАХ Джеймса Эрла Рэя, фанатика-убийцы Мартина Лютера Кинга, сознавшегося в своем преступлении, мне не пришлось углубляться в райские кущи. Джеймс Эрл Рэй скончался 23 апреля 1998 года. У него отказала печень. Однако, со слов святого Петра, до сих пор он не сделал ни единого шага в жизнь вечную, ожидающую его за райскими вратами.

Впрочем, слабоумным его не назовешь: коэффициент его интеллекта составляет 108 баллов, что значительно выше интеллектуального уровня среднего американца. В личной беседе он признался, что не ступит в вечность до тех пор, пока для него не будет построена тюремная камера. Он сказал, что только в камере ему будет уютно и комфортно продолжать бесконечное существование. В камере, добавил он, ему будет ровным счетом наплевать, сколько времени прошло. По правде говоря, он выразился несколько иначе: он сказал, что ему будет совершенно «насрать» на время.

В отношении афроамериканцев Джеймс Эрл Рэй в изобилии употреблял другое слово на букву «н»[4] — несмотря на то, что святой Петр умолял его, во имя милостивого Господа нашего, заткнуться ко всем чертям. Покойный сказал, что ни за что на свете не стал бы стрелять в «большого "н"», имея в виду доктора Кинга, если бы только знал, что вследствие этого то, что говорил и за что боролся «большой "н"» станет столь чертовски популярно по всему гребаному миру.

— Из-за меня, — заявил он, — белых детишек теперь учат в школе, что «большой "н"» — чуть ли не наш национальный герой, вроде гребаного Джорджа Вашингтона. Из-за моей гребаной пули то дерьмо, которое проповедовал «большой "н"», теперь высекли на мраморе и вроде бы даже инкрустировали гребаным золотом.

Это был Курт Воннегут из гребаной камеры смертников в Хантсвилле, гребаный штат Техас.

---

[1] *Англ.* nigger — уничижительное от «негр», слово-табу в Америке и Великобритании, считающееся в высшей степени оскорбительным, вплоть до уголовного преследования обидчика по статье «расовая дискриминация».

ВО ВРЕМЯ НЕДАВНЕГО КОНТРОЛИРУЕ-МОГО эксперимента по приближению к смерти я добрался и до Вильяма Шекспира. Но общего языка мы с ним не нашли. Он объявил, что диалект, на котором я говорю, — самый безобразный английский, какой ему только доводилось слышать, годный лишь «для грубых ушей простонародья»[5]. Он спросил, есть ли у этого диалекта какое-то название, и я ответил: «Индианаполисский».

Я поздравил его со всеми премиями «Оскар», что были присуждены фильму «Влюбленный Шекспир», коль скоро основой его сюжета является пьеса «Ромео и Джульетта».

По поводу «Оскаров» и самого фильма он выразился так: «Сказка, пересказанная глупцом, где много шума и страстей, но никакого смысла»[6].

[5] Цитата из «Гамлета». — *Примеч. ред.*
[6] Цитата из «Макбета». — *Примеч. ред.*

Тогда я задал ему вопрос в лоб: действительно ли он является автором всех тех произведений, которые приписывают его перу. «Роза пахнет розой, хоть розой назови ее, хоть нет»[7], — ответил он. — «Об этом пусть тебе расскажет святой Петр!» Тут я решил, что уж точно не упущу случая поинтересоваться этим у последнего.

Памятуя о том, как жаждут слушатели нашей радиостанции получить наконец ответ еще на один терзающий их вопрос, я набрался наглости и продолжил, спросив, имел ли он интимные связи только с женщинами или еще и с мужчинами. Его ответ ясно дал понять, что он приветствует привязанность между любыми животными, независимо от вида: «Мы были точно близнецы-ягнята, что блеют и на солнце вместе скачут: невинность мы давали за невинность»[8]. Под «давали» он, видимо, имел в виду «меняли»: «невинность мы меняли на невинность». Более мягкого варианта порнографии мне еще не доводилось встречать в своей жизни.

Засим он и откланялся. То есть, если уж быть совсем откровенным, просто послал вашего репортера куда подальше. «Ступай в монастырь»[9], — подмигнул он и удалился.

---

7 Цитата из «Ромео и Джульетты». — *Примеч. ред.*
8 Цитата из «Зимней сказки». — *Примеч. ред.*
9 Снова цитата из «Гамлета». — *Примеч. ред.*

На обратном пути через голубой туннель я чувствовал себя полнейшим идиотом. Ответы на интересующие вас вопросы, которые я так и не задал величайшему из когда-либо живших на земле писателей, можно найти в сборнике Бартлетта «Знаменитые цитаты». А насчет обмена невинности на невинность — прочитать в «Зимней сказке».

По крайней мере, я не преминул спросить святого Петра, действительно ли сам Шекспир написал всего Шекспира. Тот ответил, что никто из прибывших в Рай (а никакого Ада не существует) не заявлял своих авторских прав на эти произведения или какую бы то ни было их часть. «Я хотел сказать, не было желающих пройти тест на моем детекторе лжи», — прибавил он.

С вами был ваш косноязычный, униженный, полуграмотный и отвратительный самому себе литературный поденщик Курт Воннегут с таким злободневным вопросом: «Быть или не быть?».

ДО СЕГОДНЯШНЕГО ДНЯ Я ВСЯКИЙ РАЗ честно признавался, у кого из покойных брал интервью. Но теперь настало время немножко вас подразнить. Посмотрим, насколько хорошо вы знакомы с историей великих идей.

Для начала скажу, что эта особа, не будучи еще даже двадцати лет от роду, выдвинула идею, столь же прочно обосновавшуюся в умах современных мыслящих людей, как, скажем, теория микроорганизмов Пастера, теория эволюции Дарвина или страх перенаселения Мальтуса.

Подсказка номер два: яблочко от яблоньки недалеко падает. Мать этой не по годам развитой писательницы тоже преуспела на литературном поприще. Некоторые из ее книг проиллюстрированы не кем иным, как Уильямом Блейком. Только представьте себе, что чьи-то книги иллюстрирует сам Уильям Блейк! Она яро защищала идею равноправия женщин и мужчин.

Отец моей таинственной покойной собеседницы также был писателем, и к тому же антикальвинистским проповедником, среди наиболее запоминающихся высказываний которого, например, такое: «Сам Господь не имеет права быть тираном».

И кто же входил в число друзей столь выдающихся родителей? Уильям Блейк, Томас Пейн и Уильям Уордсворт — вот лишь некоторые из них.

Подсказка номер три: эта женщина состояла в браке с другим знаменитым человеком, прославившимся не только своей поэзией, но и беспорядочной чередой романов. Романтики в его личной жизни было хоть отбавляй. Для примера скажем, что он вдохновил на самоубийство свою первую жену. А сам утонул в возрасте всего тридцати лет.

Ну что, сдаетесь? Сегодня в Раю я разговаривал с Мэри Уолстонкрафт Шелли, которая еще до своего двадцатилетия стала автором самого пророческого и влиятельного научно-фантастического романа всех времен «Франкенштейн, или Новый Прометей». Это случилось в 1818 году, за сто лет до конца Первой мировой войны с ее франкенштейнскими изобретениями: отравляющим газом, танками, самолетами, огнеметами, противопехотными минами и колючей проволокой.

Я надеялся выяснить мнение Мэри Шелли об атомных бомбах, которые мы сбросили на безоружных мужчин, женщин и детей в Хиросиме и Нагасаки, и обещаю, что попытаюсь сделать это еще раз. Пока же мне не удалось добиться от нее ничего, кроме восторженных высказываний о своих родителях, которыми были, конечно же, Вильям и Мэри Уолстонкрафт Годвин, о своем муже, Перси Биши Шелли, а также их общих друзьях, Джоне Китсе и лорде Байроне.

Я сказал, что многие несведущие люди в наше время думают, что Франкенштейн — это имя монстра, а вовсе не ученого, который его создал.

Она ответила:

— Что ж, это не так уж и глупо, в конце концов. Ведь в этой истории два монстра. И одного из них — того самого ученого — и вправду звали Франкенштейном.

С вами был Курт Воннегут из Хантсвилла, штат Техас.

Я ВЕРНУЛСЯ С ТОГО СВЕТА, ВЗЯВ ИНТЕРВЬЮ у поэта с ученой степенью Филиппа Стракса. Диктую по буквам: С-Т-Р-А-К-С-А. Он скончался в возрасте девяноста лет в один день с бейсболистом Джо Ди Маджо и является автором такого очаровательного двустишия:

Уж лучше любить и хотеть,
Чем давать аппарату ржаветь.

Автор трех томов поэзии, Филипп Стракс, помимо прочего был рентгенологом. Именно он усовершенствовал рентгеновский аппарат таким образом, что теперь при помощи рентгеновских лучей можно видеть не только кости, но и злокачественные опухоли в мягких тканях груди. Количество женских жизней, продленных благодаря раннему обнаружению рака при помощи маммограмм, может исчисляться, выражаясь языком бейсболистов, тысячами и тысячами засчитанных пробежек после удачно отбитого мяча.

Поворотным пунктом его карьеры — не литературной, но научной — явилась смерть его любимой жены Гертруды в возрасте всего-навсего тридцати девяти лет. Она стала жертвой слишком поздно обнаруженного рака груди. Каждое мгновение его профессиональной деятельности после ее смерти было посвящено борьбе с этой болезнью, и вы только посмотрите: какой успех!

Я обнаружил его рядом с толпой обезумевших ангелов, мечтавших получить автограф Ди Маджо на своих перьях. Я сказал, что его яркий некролог в «Нью-Йорк Таймс» свидетельствует о том, что он горячо и беззаветно любил женщин и они отвечали ему тем же. Он прочитал бесстрашно феминистские строчки собственного сочинения:

Напомним, есть лишь двух сортов
Мужчины в этом мире баб:
Один считает, что силен,
Другой же знает, как он слаб.

Это был Курт Воннегут со своим незаменимым помощником Джеком Кеворкяном, к этому моменту успевшим спасти мою жизнь уже сотни раз. До новых встреч. Пока-пока.

Храпи Вас Бог, доктор Кеворкян!

СЕЙЧАС УЖЕ ДАЛЕКО ЗА ПОЛДЕНЬ 3 февраля 1998 года. Меня только что отвязали от каталки после очередного контролируемого эксперимента по приближению к смерти в этой никогда не пустующей камере смерти в Хантсвилле, штат Техас.

Впервые за свою карьеру я прошел по голубому туннелю, едва ли не наступая на пятки знаменитости. Ею была Карла Фэй Такер, зарубившая киркомотыгой двух незнакомцев. Саму Карлу Фэй штат Техас прикончил здесь сразу после обеда.

Двумя часами позже я сам был на три четверти умерщвлен в соседней каталке. Я нагнал Карлу Фэй примерно за полторы сотни метров от конца голубого туннеля, как раз у самых райских врат. Поскольку она едва переставляла ноги, я поспешил заверить ее в том, что никакого Ада нет, поэтому безрадостная перспектива туда попасть не ожидает ни ее, ни кого бы то ни было еще. Она ответила, что это еще хуже, чем она могла предположить. Она бы с радостью отправилась в адские миры, если бы только могла прихватить с собой губернатора штата Техас. «Он ведь тоже убийца, — пояснила Карла Фэй. — Как минимум, он убил меня».

На этом ваш корреспондент в Загробной жизни заканчивает свой репортаж. С вами были Курт Воннегут и доктор Джек Кеворкян, обеспечивающий безопасность моих путешествий в чертоги смерти и обратно. Только что нас с Джеком попросили освободить помещение, которое нужно подготовить для очередной казни. Так что, от имени нас обоих, пока-пока.

К СОЖАЛЕНИЮ, НЕДАВНИЕ ПРОБЛЕМЫ Джека Кеворкяна с законом в Мичигане, связанные с тем, что его, чего уж кривить душой, обвинили в убийстве первой степени, вынудили нас сделать перерыв — будем надеяться, временный — в наших экспериментах. Поэтому, дабы заполнить чем-то эфирное время, за которое мне платит Общественная радиостанция Нью-Йорка, я провел интервью с человеком, который, слава Всевышнему, все еще жив.

Это писатель-фантаст Килгор Траут. Я спросил его, что он думает о недавних событиях в Косово, Сербия. Его ответ я записал на магнитофон, но, так как верхняя челюсть собеседника постоянно выпадала, издавая чавкающие звуки, запись получилась неразборчивой. Так что я лучше просто перескажу его слова.

Итак:

— НАТО следовало бы вести себя совсем по-другому и удержаться от соблазна устроить на телевидении развлекательное шоу, по количеству взорванных мостов, полицейских участков, промышленных предприятий и т. д. соперничающее с фильмами-катастрофами. Однако этот соблазн оказался для НАТО непреодолимым. Инфраструктуру сербской тирании необходимо было сохранить, хотя бы с целью поддержания правопорядка и спокойствия, которые теперь нужно восстанавливать. Каждый город, вне зависимости от его размера, является мировым достоянием, и в НАТО должны понимать, что делать город непригодным для жизни — значит, образно выражаясь, рубить сук, на котором сидишь. Но таковы правила шоу-бизнеса!

Паранойя, сопровождающаяся навязчивым желанием убивать, и шизофрения этнических чисток, как и любое стихийное бедствие, незамедлительно приводят к самым плачевным результатам, подобно цунами, землетрясению или извержению вулкана, — вчера в Руанде, сегодня в Косово, и кто знает, где эта зараза проявит себя завтра. Эта болезнь имеет давнюю историю. Вспомним уничтожение европейцами коренных жителей Западного полушария, Австралии и Тасмании, истребление и выселение армян турками и, конечно, холокост, проявлявший себя в вялотекущей форме с 1933 по 1945 год. Тасманский геноцид, кстати говоря — так уж исторически сложилось, — единственный из

Храни Вас Бог, доктор Кеворкян!

всех мне известных, удавшийся на сто процентов. Ни у одного человека среди всех живущих сейчас на земле нет предка, который был бы коренным тасманцем!

Аналогично тому, как мы имеем сегодня дело с новой разновидностью туберкулезной палочки, мы сталкиваемся и с новым штаммом бактерий этнических чисток, применительно к которому традиционные методы лечения, известные в прошлом, выглядят жалкими и даже абсурдными. Сегодня в каждом подобном случае мы вынуждены констатировать, что уже слишком поздно. К тому времени, как об этом впервые упомянут в вечерних новостях, практически все жертвы уже или мертвы, или лишены крова.

Все, что остается делать сегодня здравомыслящим людям в отношении болезни этнических чисток, которые каждый раз оказываются fait accompli[10], — это спасать тех, кто выжил. И остерегаться тех, кто скрывается под маской христиан!

С вами был Курт Воннегут.

[10] Свершившийся факт (*фр.*).

МОЯ КАРЬЕРА В ЗАГРОБНОЙ ЖУРНАЛИ-СТИКЕ, дорогие слушатели, вероятно, сегодня завершится. Не успел я подняться с каталки и прийти в себя, чтобы рассказать вам о своем интервью на небесах с покойным Айзеком Азимовым, как Джека Кеворкяна скрутили и увели отсюда в наручниках, чтобы он мог предстать перед судом в Мичигане по обвинению в убийстве. Какая жестокая ирония! Этот так называемый убийца спасал мне жизнь не один десяток раз! Без Джека эта камера смертников стала бы для меня тем, чем по сути и является, — моргом, а не вторым домом.

Так что, пожалуйста, простите мне мои смешанные чувства: огорчение по поводу несчастья, приключившегося с одним моим другом, Джеком, пока еще живым, и радость за относительное благополучие другого — Айзека Азимова, скончавшегося восемь лет назад от сердечной недостаточности и болезни почек в возрасте семидесяти двух лет.

На земле Айзек, мой предшественник на посту почетного председателя Американской гуманистической ассоциации, был самым плодовитым писателем в истории литературы США. Он написал порядка пятисот произведений — против жалких двадцати, которые на сегодняшний день вымучил из себя ваш покорный слуга, и восьмидесяти пяти, созданных Оноре де Бальзаком. Иногда Айзеку удавалось выпускать по десять томов в год! И это не только первоклассная научная фантастика, но и научно-популярные книги о Шекспире, биохимии, античной истории, Библии, теории относительности и многом другом.

В Колумбии Айзек получил докторскую степень по химии, а родился он в городе Смоленске, в бывшем Советском Союзе, хотя вырос в Бруклине. Согласно некрологу в «Нью-Йорк Таймс», он ненавидел летать и никогда не читал ни Хемингуэя, ни Фицджеральда, ни Джойса, ни Кафку. «Я чужак в литературе и поэзии двадцатого века», — написал он однажды.

— Айзек, — сказал я ему, — тебе самое место в Книге рекордов Гиннесса.

А он ответил:

— Чтобы быть увековеченным рядом с петухом по кличке Извращенец, который весил десять килограмм и убил двух кошек?

Я спросил, пишет ли он что-нибудь сейчас, и он воскликнул:

— Беспрерывно! Это место было бы для меня кромешным Адом, если бы я не мог посвящать писательству все время. И земля тоже была бы Адом, не имей я возможности постоянно писать. С другой стороны, я счел бы Ад вполне сносным местом, если бы мне там позволили писать сколько душе угодно.

— Слава Всевышнему, что Ада нет, — заметил я.

— Приятно было поболтать, — попытался закончить беседу он, — но мне пора приниматься за работу над шеститомным исследованием земных предрассудков в отношении жизни после смерти.

— А я бы с удовольствием вздремнул пару часиков, — признался я.

— Говоришь как настоящий гуманист, — отозвался он, уже явно начиная нервничать.

— Последний вопрос, — взмолился я. — Чем объясняется ваша фантастическая продуктивность?

Айзек Азимов ответил одной фразой:

— Уходом от реальности.

А затем добавил известное высказывание не менее плодовитого французского писателя Жана Поля Сартра:

— Ад — это другие.

Курт Воннегут

ЧЕЛОВЕК БЕЗ СТРАНЫ,
ИЛИ АМЕРИКА РАЗБУШЕВАЛАСЬ

Ответственный за выпуск
А. Соловьев
Ответственный редактор
А. Финогенова
Редакторы
Ю. Василькина, А. Финогенова
Художники
К. Иванов, А. Касьяненко
Художественный редактор
С. Сакнынь
Технический редактор
Н. Овчинникова
Корректоры
М. Шарлай, Ю. Мухина
Оператор компьютерной верстки
Т. Упорова

Подписано в печать с готовых диапозитивов заказчика 04.05.07.
Формат 75×100$^1/_{32}$. Бумага офсетная. Печать офсетная.
Усл. печ. л. 10,43. Тираж 5100 экз. Заказ 1688.

Общероссийский классификатор продукции
ОК-005-93, том 2; 953000 — книги, брошюры

Издание осуществлено при техническом содействии
ООО «Издательство АСТ»

Издано при участии ООО «Харвест».
Лицензия № 02330/0056935 от 30.04.04.
Республика Беларусь,
220013, Минск, ул. Кульман, д. 1, корп. 3, эт. 4, к. 42.

Республиканское унитарное предприятие
«Издательство «Белорусский Дом печати».
Республика Беларусь,
220013, Минск, пр. Независимости, 79. Заказ 1509.

Открытое акционерное общество
«Полиграфкомбинат им. Я. Коласа».
Республика Беларусь, 220600, Минск, ул. Красная, 23.

УЛЬТРА · FICTION

БЕНДЖАМИН ВАЙСМАН

ГОСПОДИН МЕРТВЕЦ

ГИЛАД АЦМОН

ЕДИНСТВЕННАЯ
И НЕПОВТОРИМАЯ

ХЬЮБЕРТ СЕЛБИ МЛ.

РЕКВИЕМ ПО МЕЧТЕ

УЛЬТРА·FICTION

ULTRA . FICTION

ТОМАС ГУНЦИГ САМЫЙ МАЛЕНЬКИЙ НА СВЕТЕ ЗООПАРК

Посетите
самый малень-
кий на свете зоопарк,
где на нас всегда смотрит
какое-то животное своим немигаю-
щим взглядом. Животные как мерило чело-
веческого. Картонно-пластиковый мир,
одинаково жестокий и к тем и к другим.

ULTRA . CULTURE